バーナード・リーチ日本絵日記

バーナード・リーチ
柳　宗悦 訳
水尾比呂志 補訳

講談社学術文庫

バーナード・リーチ（1887—1979）

学術文庫版へのまえがき

この『バーナード・リーチ日本絵日記』学術文庫版には、いささか込み入った成立の経緯がある。著者リーチは、昭和二十八年（一九五三）二月、前年秋からの柳宗悦・濱田庄司とともにした米国巡歴のあと、前回昭和九年の訪日以来十九年ぶりに来日した。そして翌二十九年の十一月末に帰英するまでの一年十ヵ月間を、六十七歳とは思えぬ強健さで、日本各地を巡って日本民藝協会員を主とする人々と交歓し、数ヵ所の窯場での制作や、描画、寄稿、講演会、座談会、各種の会合などに追われる多忙な日を過す。そのなかでほとんど毎日書続けた日記や覚書から抽出した文を、謄写版に付し（当時はむろんコピー機などない時代である）て各国の知友に送付する、という軽からざる仕事も持続し、成し遂げたのだった。その謄写版英文日記は、幾人かの手で日本語に翻訳され、柳宗悦訳『バーナード・リーチ日本絵日記』の書名で、昭和三十年毎日新聞社から刊行された（本書の旧日本語版、柳宗悦序参照）。他方、帰国したリーチは、妻ジャネットの助力を得て、謄写版の文を再検討して、随所に省略、加筆、補訂を行い、謝辞と献辞、緒言、挿図一覧などを付し、かつ新たに第一章と第十章を書下した。一九六〇年『A Potter in Japan, 1952〜1954, by Bernard Leach』として Faber & Faber 社から出版されたのがこれである（本書のリーチ緒言参照）。

この学術文庫版は、当初、毎日新聞社版をそのまま文庫化する企画であった。しかるに、その校閲を依頼されて Faber 社版と照合してみると、前記のような大幅な改変が行われていることが判明し、また毎日新聞社版には誤訳誤記も少なからず見出された。そこで改めて、両社版を底本として新訳改訳と訂正を施し、それを学術文庫版とすることにしたのである。書名は毎日新聞社版を引継いでいるが、巻末の年譜は私が作製したものに入換えた。

また、挿入されていた素描や写真は、両社版から複写転載したが、原物が存在するものはそれを新写して用い、複写が不良な場合には、最も適切と考えられるものと差替えた。

顧みると、この絵日記が書始められて間もなくの昭和二十八年五月に、私は初めてリーチさんにお会いし、助手としてその琳派研究や諸用をお手伝いすることになり、それからのちも来日の度に何かと御用を承っていた。その縁がこの文庫化にまで繋がっているのを想うと、感慨と感謝の念の深まるのを禁じ得ない。日本をこよなく愛し、西と東の懸橋をみずからの任としておられた真摯な美の巡礼者リーチさんの、すでに五十年の昔とはなったが、その数多い来日のなかでも最も長期の、そして最も広汎な日本の旅の記録は、今日の読者にも少なからぬ興味と示唆を与えてくれるであろう。

平成十四年八月上浣　　水尾比呂志

目次

学術文庫版へのまえがき……水尾比呂志……4
謝辞と献辞……11
緒　言……12
序（旧日本語版）……柳　宗悦……16
第一章　序曲、東と西……21
第二章　日本――第一印象……35
第三章　深まる印象……77
第四章　山陰・山陽の旅……113

第五章　濱田の益子……139
第六章　山国の旅——松本……169
第七章　穫入れの秋の本州をめぐる……217
第八章　東京——京都……251
第九章　九州小鹿田にて……277
第十章　むすびそしてお別れ……307
あとがき（旧日本語版）……342
バーナード・リーチ年譜……水尾比呂志編……344

素描／バーナード・リーチ

バーナード・リーチ日本絵日記

謝辞と献辞

私を再度日本へ招いてくださったすべての友人の皆様、そして戸惑うほどの歓待と協力とに心からお礼を申し上げる。

とりわけ、柳宗悦、濱田庄司、河井寛次郎、富本憲吉の諸氏は、この国に真実と美の光がなお輝いていることを見せてくださった。これらの頁を彼らに献じる。

私の国外の旅の経費を支えられた毎日新聞社と展覧会を催して頂いた百貨店の支配人の方々には、私の個人的な感謝だけでなく、藝術への御支援に対する讃辞も呈したい。

また私は、妻ジャネットにも多くを負っている。彼女は、昨年の一期間、私に伴なって体験を分ち合い、以後（タイピングを含めて）、この本の体裁を整え、刊行の準備万端を助けてくれたのである。

緒言

一九五二年の末に東洋へ帰るこの長い旅に発つ前、私がするだろう経験を英国やアメリカの三、四十人の友人にも頒《わか》つことができるように、日記をつけて謄写版に時折刷ることを決めていた。この回状日記のことを誰かが毎日新聞に話したのだと思うが、何かの筋からこれを出版する申し出を受けた。第二の故国であるこの国についての若干のコメントや率直な評言が、友人たちの心に反響するように願って、私はそれに同意したのである。

日本語の本は、一九五五年に刊行され、今再版されている（『日本絵日記』毎日新聞社、昭和三十年六月刊）。執筆や描画はいろいろなことの合間に、多くは旅行中になされた。そのための形式の不揃いや場面の欠如が、親密な観察による幾許かの実りで埋合されることを願って止まない。

一九五四年末に帰国したあと、英国の出版社は、西洋には戦後の日本やその工藝運動の詳しい状況に興味を持つ人たちがいる、と判定した。古きものに新たな基盤を置いたこの運動の思想や美学は、五二年八月、デヴォン州ダーティントン・ホールで、指導者たる柳宗悦博士により贈られたものだった。

陶工濱田庄司もまた、極東の工藝家たちを代表してそこに在った。この陶工と織工たちの最初の世界会議を通じて、また引続いての私たちのアメリカ横断旅行の間も、濱田自身は、遠慮深くしかし明確に、講演は柳の任に委ねて引受けなかった。柳は、その説くことを理解しなかった人はわずかだとあとで聞かされたほど、まったく自由に英語で語り得たのだった。

そうして、私はこの旧友二人とともに、アメリカ東部から西海岸へと四ヵ月、教え、講じ、実演する旅をした。東洋思想の影響は顕著であって、それが私の日記そのものにダーティントン会議とアメリカ巡行の記述をつけ加えた理由である。会議中は組織した一員として多忙で日記をつける暇がなく、アメリカでも覚書はほとんど飛行機内で書いた断片的なものなのだが、受けた印象や達した結論のいくつかは、日本という所へ突然に飛び込む唐突さを和らげるのに役立ってくれるだろう、と私は望んでいる。

本書を読んで、一方的だとか、日本人に好かれているという先入主があるとかと思われる人たちに対しては、私は科《とが》を認める。けれども、それは私が日本人の誤りや欠点に目をつぶっていることを意味するものではない。たとえば、本書にしるしたような経験と、戦時中の日本兵たちの勇猛さとを折り合わさせるのは、難しいことを私はよく承知している。そこには捉え難い異例があり、いろいろな説もまことだと私は思う。それらをすべて説明できるふりはしない。私が親しく接したのは日本人の藝術家工藝家であって、軍人や商人や主婦については、行きずりの観察者以上の知見はない。私の識った藝術家たち工藝家たちは、戦前でさえ、非商業的で反軍人的で、政治に対して皮肉だった。農民である国民の大半は、土と作物と、きつい仕事のことに精一杯なのだ。彼らは個人的思考者ではなく、社会のピラミッドの底辺の共同体で保守的に暮していて、我慢できる状態であれば、農民としての健全さをどこでも示す。

だが、権威にははなはだ手易く引きずられてゆく。主に軍部だったそういう権威は今では打ち壊され、全体として日本人は、感謝の念に満ちていることに疑いはない。けれども、そんな日本人が平均して民主主義者になっていると推測するのは、まったくの間違いであろう。我々は、多くの国々に対して、個人的自由のよりいっそうの増大のために努力している。日本の社会組織は、八十年前までは中世的だったし、人びとは、我々にはまったく不馴れなものとなっている領域への、公共の期待と宗教的軍事的独裁の是認に従って、行動しなければならなかったのである。

このことはある程度まで、フィリッピンの収容キャンプで、日本軍の下士官が、昼間勤務中は英米の女たちを撲り、夜はこっそりと彼の一日分の食糧を持って来た、ということの理由を説明する。彼は、昼は疑うことなく権威の奴隷だが、夜はひとりの人間だったのだ。私が説明で示唆する唯一のヒントは、日本人は久しく苛酷な統治組織の踵の下に置かれてきて、今日まで社会的政治的自由というものを知らなかったということだ。日本は、両面——

戦争と平和、剣と茶碗——を持つ仮面に似ている。私は、主にその後者と関わっているのである。

序（旧日本語版）

この日記は、リーチが昭和二十八年二月十六日から翌二十九年十月二十六日まで、約一年八ヵ月のあいだ、日本に滞在したあいだに書かれた。その大部分をいっしょに暮した私にとっては、いろいろの思い出が起る。

現われてくる場面は、日本が終戦後、当面しつつある希願や、混乱や、前進や、逆行や、何もかもであるが、めぐり合った出来事を記すというより、むしろリーチの心の旅日記というほうがさらに当ろう。

大体外国人の観察は、われわれが見ない面を見ることもなかなか多く、教わる点も少なくないが、時としては奇異な見方があったり、全くの誤解も存したり、主観に過ぎなかったりして、事実に合わないことも多いのである。それゆえ読みものとしてはおもしろくとも不正確なものが少なくない。

しかし、リーチの場合は一般とははなはだ違って、外国人ではあるが、育つ《〔ママ〕》二十代のころを日本で過ごしたから、十分われわれの習慣や気質を知っているのである。「白樺」同人との厚い交友でも、そのことが知られよう。しかも藝術家であるから、その見方には洞察がひらめく。それゆえ通りすがりの外国人の日記とは別のものである。それに第二の故国として、日本を敬い愛するリーチの気持は濃い。それゆえにこそ暗い出来事が日本に起れば、他人事《ひとごと》ならずそれを憂え嘆くのである。そのためこの日記の中には日本の現状への批判も多い。多少は心配の余り、思い過ごしもあろうし、なお事情をつまびらかにしないための誤解もあろうが、しかし外国人の旅日記としては、その見方は珍しいほど公平なものであろう。それゆえリーチの苦言は良薬として受け取るべきものが多い。日本が間違ったことに沈むのは、リーチにとっても身を切られるほどつらいものがあるのである。むしろ日本人のひとりとして、何とかこの国を正しく復興させたい母国愛に近いものが見られる。同じように、欧米人が日本で犯している過ちに対しても、悲しみが深いのである。

もとより、日本好きの外国人は少ないとはいえぬ。しかし多くは甘く軽い趣味や、異国の情緒に浸るものが多いが、リーチのは決してそんな性質のものではない。藝術家であるから、何がほんとうに美しいものなのかを、よく見ぬいているのである。それゆえ、日本や日本人の美点についても、別にお世辞や修辞をつくろっているのではない。しかも宗教にも心を傾けているので、何が真実のものなのかについて、彼の考えに耳を傾けるべきものが多い。

それにこの日記の一つの特色は、こんどの滞在中、普通の旅行者が決して行かない所に行き、見ないものを見た場合が多いことである。中部はもとよりであるが、北は東北、北陸、山陰、山陽、四国、九州と、その足跡はきわめて広く、しかもずいぶん深く各地の田舎にはいった。

この旅の計画は、主として私に責任があるが、行ってもらいたい所には、ほぼ行ってもらった。それに益子《ましこ》（下野）と山代《やましろ》（加賀九谷）と布志名《ふじな》（出雲）と小鹿田《おんた》（豊後）との窯場ではしばらく滞在して、焼物の製作に専念してもらった。そのほか講演会やら展覧会やら、幾度してもらったことか。これらの多くの、また遠い旅は、ほとんどすべて各地の民藝協会員の厚誼によって可能になった。たくさんの外国人が日本を旅行したであろうが、おそらくリーチほど各地で心から歓待を受けた人はあるまい。その滞在は、最後の東京三越での「滞日記念展覧会」をもって、盛況裏にその幕をとじた。

ごらんの通り、この一冊はなかば絵日記といってよいほど多くの素描が入れてある。リーチが短期間にこれほど度々絵筆を取ったことも、生涯中でめずらしい出来事であろう。本国の英国では、おそらくこの十数年のあいだ、ほとんど筆を取っていないのである。しかし画家としてのリーチの値打ちは、もっと世間からみとめられてよいであろうし、またその日は必ずや来よう。

リーチはからだが丈夫なせいもあるが、その日々は実に勤勉で、ほとんど無駄に時間を過ごしているのを見たことがない。それゆえ講演やら、制作やら、書物の執筆やら、展覧やら、忙しいそのあいだに、暇をみてはまめによくこの日記をつけた。そうして帰るまでに一巻をなすほどの量になった。リーチは毎朝、一日のあいだになすべき仕事をいちいち紙片に記し、朝食のとき、いつも私に相談したものである。実行しては一つ一つその項目を消していった。だから休むとか居眠るとかいう場合をほとんど見たことがない。この日記を見れば、いかに多忙な滞在であったかがわかろう。

この世の出来事は、どこに行くとも充満しているであろうが、やはりこれを正しく見守る人を通してのみ、その意味が活きてくるのである。それゆえこれは一個人の旅日記ではあるが、読者はここから真理の数々を汲み取られるであろう。

この日記は元来英文で綴られ、謄写版に付して数人の故国の友人に送ったものである。それゆえ日本人には説明を要しないことへの叙述も度々出てくるが、それは初め日本訳を予想していなかったからである。私の名が訳者を代表して出されているが、翻訳についてはお茶の水女子大学教授西崎一郎氏に一部の協力を得、また毎日新聞社の諸友の協力によったことを明らかにし、この本の出版に関して受けた厚誼を深く感謝したい。

昭和三十年三月十日

柳　宗悦

第一章　序曲、東と西

柳宗悦、リーチ、濱田庄司
（ダーティントン・ホール　1952年8月）

一九五二年八月、デヴォン州のダーティントン・ホールで、この種の集《つど》いでは最初の国際陶藝・織物家会議が、約二十ヵ国から百人以上の代表が出席して、十日間開催された。レオナルドとドロシーのエルムハースト夫妻のヴィジョンと宏量、ピーター・コックスの組織力、理想的な運営、それに英国の夏の快適な気象のおかげで、この工藝家たちの会は極めて心のこもったものとなった。

この会議の主たる目的は、思考の交換であって、戦争によって分断されていたのが、数時間のうちに言語や習慣の壁を打破り、工藝に対する共通の関心を絆として、みなが温く打ち解け合い、結び合ったことに深く勇気づけられたのだった。東洋をこの会議にふさわしく紹介すべきことを私たちは切望していたので、私は、旧友の柳博士（日本民藝協会の設立者で、日本民藝館館長）と陶藝家濱田庄司を招いて、二十五年にわたり彼らが進めてきた工藝の思想に関し話をしてもらうことを依頼された。

日本の民藝運動は、私の古い友人の柳宗悦によって始められ育成された。現在、世界中で最も活潑な広汎で統一された運動といえる。活動し支持する二千人の会員から成り、中央に一館、地方に三館の民藝館を有し、三十ほどの工人集団と年間十万ポンドを売上げる十五ほどの民藝店がある。私の知るどんな運動よりも、社会に影響を及ぼしている。

感情や思想や行為が非常に大きな差違を表《あらわ》してきて、文化間の壁が崩壊しつつあり、いかなる前代よりも相互の理解と交流の必要性の増大したこういう時代において、東洋とりわけ極東は、西洋の我々にとって最重要な意義を持っている、と私は信じていたし今もそうである。私自身この運動に当初から親しく結びついていたので、その動向と受取られ方を見ていて、若干の心配をしていたのだが、ダーティントンでも、その後のアメリカを巡る四ヵ月の講演と実演でも、大成功を収めたので心配は不必要なことが証された。

柳博士の話と濱田庄司の土と筆による比類なき実演で示された、日本の真実と美の内面世界からの静かなメッセージは、どこででも受講者の想像力を惹きつけ、ダーティントンでの会議中は、多くの議論の中核となった。何はともあれ、このような高いレベルの思考や行為が開示されたのは、今回が初めてである。日本人の工藝美への道は、大方は人生への仏教徒の対し方に由来する。かかる見地には、強調され過ぎる個人主義のための余地はないのだ。人にとっても、その手の仕事にとっても、理想は「調和」であり、「自己」と「非自己」との間の、また人間の作品の美と自然の美との間の諧調である。それ故、私たちは、今は稀となったが、ルネサンスや宗教改革や産業革命以前の西洋人には親しいものであった、さまざまな謙虚さや勤勉さのことに耳を傾けたのだ。

柳博士の話には、不分別の非個人的な無名工人の集団の心による藝術の広い世界への言及があり、茶人たちのはるかな後継者として、彼はそこから自身の糧と理念とを導き出してきたのである。柳はそれを「美の王国」と呼ぶ。この非個人的藝術と私たちの現代自己表現との対比は、会議の焦点の中でもより重要な論題であった。柳博士の論点は、現代藝術は東洋からだけでなく、共同のより統一された我々自身の遺産からも謙虚に学び、単なる個人主義を超えた方向へと必要な歩みを進める、ということである。柳、濱田両氏が、言葉と実演とでともに示した東洋思想の別のより深い様相は、「如」や「空」に関連する、日本語で「無」と称されているひとつの状態である。それはすべてのすぐれた藝術に見出されるところだが、とりわけ極東の藝術に具《そな》わる質であり、仏教のみならず老子の教にも由来するものである。

ダーティントン会議は、英国や出席国の陶工たち相互の連絡と交流とを新たにし、同時に日本の工藝家を他の国の仲間に紹介した。それはまた、アメリカ工藝の新世界を私たちが訪れて、彼地と日本とで報告する道を開くものでもあった。

ダーティントンの広大な建物と庭園の毎日は、講演と討議と実演とでいっぱいだった。夜は音楽や民族舞踊が演じられた。そして自然に小グループが分化して、益子の濱田窯の魅力的なドキュメンタリー・フィルムや日本・朝鮮の古陶磁と沖縄の織物のカラースライドの、小劇場での上映会が頻繁に求められ繰返された。

会議とともに、三つの展覧会が設けられた。一つは、英国の工藝家たちのこの二十五年間の作品回顧展で、アート・カウンシルがロンドンとエジンバラへ引継いで持って行った。二は、参加者たちの作品展、三は、現代メキシコ工藝展である。陶器や織物が三つの観点——美学、技術、教育での位置——から考えられるべきだということで、これらは企画され、選ばれた講師によるいくつかのすぐれた講述が行われた。参加者が散ってしまい、私たちが引続いてアメリカへ渡ったため、この集りの実質的な成果を評価することは難しい。けれども、直接の結果を狙ったのではなく、互いに結ばれ合っている仲間たちによって、確かな結論が出されている。

まず第一は、すべての工業化国で、工藝家たちが直面している問題の類似点の理解だと、私は思う。工藝家として世界を地理的に考えると、機械製産と日々急速に衰えつつある手仕事の地域とに分けられる。工業が侵入する所はどこも、人間の原初の道具である手による生産が減り、消えて行く。我々の目には、その移行の初期の段階では、奇妙な羞恥と劣等感が人々を支配しているように見えるのである。彼らの生活や習慣がより全的で統一されていてさえそうであり、そして失われるものは無用で僅かなもののように我々には思えるのだ。変革は一八八〇年頃から起ったばかりで、またかなり大きな変化があった日本ですら、私の妻が工藝を学ぶためにほんとにアメリカから僻地の村にやって来た、ということを地方新聞の記者に納得させるのは難しいこ

水差（小鹿田での作）

とだった。

西アフリカから英国へ焼物を習いに来る学生たちの大部分は、ストク・オン・トレントで最新の工業製法を学びたがり、そうすれば帰国してはるかに歓迎を受けるに違いない。私は諸方を旅して、無数の辛抱強い愛すべき工人たちが何百年もかけて作り上げてきた正しい物作りのすばらしい伝統が、こういう圧力で短期間に失われてしまう、その荒廃の速さをつぶさに見てきた。状況は移行し、多くのものが止むなく変って行かねばならない。だが、田舎の陶工や織工は、村から世界へと考え方を飛躍させることができないので、取り替えの利かぬ損耗に巻込まれる。彼らは、我々が犯したすべての過ちを、明らかにさらに再び繰返すのである。

人びと自身によって以前は手仕事で供給されていた、生活の常の品々に見られた広い美の群に代えるには、まったく不充分なのだが、唯一の埋合せは、一握りの意識ある工藝美術家や工業デザイナーが、この度のような集りの中に見出されたことだ。工藝のこういう藝術家たちは、選択取捨された多くの源泉からインスピレーションを得ているのだが、普通の品物に彼らのデザイン能力を用いたり、日常生活の正常な需要を親しく知ったりする機会を、きわめて稀にしか与えられていない。

多くの場合、生活するのに精一杯で、他人に教えることに頼らざるを得ず、教えられる最も優秀な者もまた、同じ窮境に陥るのである。手と機械が多く重なり合い、経済規模が小さい、デンマークやスウェーデンやフィンランドではいくらかましだ。日本も同様だが、加うるに日本には、工藝技倆への比類なき評価と、暮しの中での藝術の純然たる必要性が、なお存在し続けている。

不幸にも、集められた証例は、大部分の国々、とりわけ英国と日本では、手工藝家と工業デザイナーとの分裂が著しいことを示す。産業革命と、ウィリアム・モリスのアーツ・アンド・クラフツ運動の発生地である英国では、モリスの後継者たちは、純粋化し隠遁してしまう傾向があって機械に逆らい、工業や建築は彼らを無視してきた。生活全体にお互いに寄与できることへの相互の無知と、共感する理解の欠如によって、いずれの側にも大きな損害が生じたのである。

私も同感なのだが、日本人は、現代のデンマーク家具は、協同製産がより良き解答を出し得る方法だということの最善の例を示すものと考えている。陶磁の分野では、私たちはそう熱狂的には感心できなかった。柳博士と濱田が、スカンディナビア諸国やフィンランドを訪れて見知ったのは、美術陶藝家が評価されて、しばしば工場でも仕事をしていたけれども、彼らの関心は焼物自体よりもそれにつける模様や釉薬により多くあり、「エンジニア陶工」と呼ばれているのが目立った、ということだった。ヘルシンキ近郊の大きなアラビアの工場では、ディレクターは誇らしげに、最上階の九階の全階が美術陶工たちに与えられているスタジオを見せて、藝術家たちが完全に自由であって文化への社の貢献である、と説明した。

柳博士が、最上階と以下の階との関連を尋ねると、「何にもない」という答が返ってきた。双方の世界を内側から知っている新しいタイプの工人デザイナーが求められていることは明らかだ。それは、手と頭で、そして何よりも心でものがわかる、稀にみるタイプの人間である。

ダーティントンで、ユネスコ基本教育部長ジョーン・ボウァ氏が、世界の「後進地域」と呼ばれている所で為されている、工藝の助成と発展のための努力のことを述べる講演を行った。同氏の非常に同情的な言説に、西アフリカの陶工たちはほとんど爆発的な感情を噴出させた。彼らの抗議は、明らかに、工藝と同じく生活における自己決定への鬱積した欲求から吹出したものだった。彼らが多言を費して言ったのは、「私たちは恩着せがましいことは欲しくないが、必要とするときの助力は大いに悦ばしい」ということであった。私は、この本の最終章で第一回アジア・ユネスコ会議のことを書くときに、白人種と非白人種の間の問題について述べるだろう。今は、真の自由という状況においてのみ人間の精神は花開くことができる、という私の信念を表明するにとどめたい。

アメリカやカナダにおける工藝の背景は、ヨーロッパや日本のそれとは、二つの面で異なる。第一は、新たに種族が混り合ったので、アメリカでは工藝家が自らの土地で生まれた正しい生産の伝統を頒《わか》たれていないこと。第二は、現代の動向が、戦争後概して高度な工業へと成長したことである。ネイティブ・アメリカンたちがすばらしい編組品や織物や木彫や陶器などを発達させ、それらが固有のものだったことは、確かな事実だが、彼らの生活は、基盤を形成するにはあまりにも遠く移転させられていた。英国、ドイツ、イタリア、スペイン、そしてオランダの工藝技術もまた、大西洋を渡ってもたらされたけれども、新しいアメリカの総体に寄与できる前にほとんど消滅した。だから、アメリカの工藝家は、他処の誰よりも大きな刺戟を必要として、世界全体を眺め渡し、まずこの国の最も機械化されたところからそれを得ている。

大雑把に言えば、アメリカの陶工たちは、今日、太平洋と大西洋を越えて東と西とから、形や模様や色や技術などのアイデアを引出してきている。ひとつは、中国、朝鮮および日本から、他は藝術と建築の現代の運動からだ。七万人の非工業的陶工たちによって作り出された焼物の大部分は、「宋以上にバウハウス」と言えよう。これは、厳密にバウハウスの近代藝術の影響とは限定はしないが、ウォルター・グロピウスやモホリ・ナギの影響は非常に広範囲に及んだ。ヒットラーからアメリカへ逃れて、グロピウスはハーバードへ、ナギはシカゴへ行ったのである。

私はグロピウスに日本で会い、彼ら夫妻を東京の日本民藝館へ伴って、柳博士とともに、彼らが陳列棚を興奮しつつ小走りして廻るのを見た。また彼が、日本の若い建築家が型にはまった西洋建築を真似ていること、それらが日本から大きな恩恵を受けていることに気づかず、自らの遺産を認識するプライドも持たぬことを批難するのを、私は聞いた。その後、東京で開かれたバウハウス展を見たとき、私は、科学と合理主義と工業化の時代に生れた西洋の「外来」の藝術を、日本の「内から」の藝術が、そういう本然のプライドなくしていかに消化して行けるだろうか、と疑わないではいられなかった。二年間を日本の手仕事の領内で暮してみて、この展覧会の印象は、それに比べ冷たく知的なものであった。

アメリカでは、機能の厳しさを通常の生活の目的に調和させることが必要、とする考えが明白に拡がっている。現在作られている焼物や他の工藝品類が、英国などにおけるよりもずっと多く現代住宅で一般的に使われているのが見られるのは、興味深いことだ。若い建築家は、広く公衆にそれらを紹介しており、英国でスタジオ制作と工業製産の間になお残る分裂のようなことはなにもない。アメリカ人は、炻器《せっき》の土と釉の不均整さや、ざらざらした感触や色合を好み、陶工たちはそれを見せどころにして、つねに円満な形から離れようと努め、「自由形《フリーフォーム》」と称されるものを作り出すようになった。しかし、柳博士の指摘のように、それは「最も乏しい自由」である。

言い換えれば、自意識過剰の努力が目的の達成を妨げているのだ。織物における流行語と落し穴は「きらめき」である。長い修練を要する手紡《てつむ》ぎはほとんど試みられず、織地の感触を出そうとしていろいろな種類の干草やセロファンや金属の糸が、服地にも他の布地にも、緯糸《よこいと》として導入されている。異常に多くの人々が、戦争のあと何かの工藝を手がけるようになって、全体的な水準は高くなく、ほかのどの国よりもそのことが問題である。歴史上、これほど低水準だった時代はなかった、と認めざるを得ない。あまりにも短い間にあまりにも多くのことが行われて、我々はみな美の不消化症に陥っているのである。

第二次大戦後はとくに、きわめて多くの人が、藝術や工藝に安らぎと救い、あるいは表現を求め、わけても焼物において最多であったことの理由を、私は探ってきた。私の結論は、爆撃さなかのロンドンへの長い夜の旅で、危険や不快が近々と身に迫っている普通の兵士や水夫や飛行兵が、「この血みどろの戦争が終ったら、血みどろになって好きな仕事をやるつもりだ」と言うのを聞いて、意識にのぼってきたのだった。

誰もが耐えねばならなかった規制や退屈や破壊は、工業化された文明に本来根深い不安を注入した。この不満は飢餓によるもの、と私は思う。普通の仕事には、感情と想像のはけ口がなかったのだ。アメリカには、長年にわたって、つらい見習修業による一世代から次世代への工藝の伝統の受渡しは存在せず、工藝は、自己表現の手段として、美術学校の短期コースの男女にはなはだ熱中的に学ばれる。子育てが終り、家事を助ける機器にあふれた家に住む中年女性たちが、工藝に関わる大多数のように見受けられるのである。彼女らは、毎日数時間を制作にあてることができ、自分たちの部屋を自由に使って、陶藝や染織に、七宝や銀細工に、そのはけ口を見出している。

全国の幹線道路のかたわらに工藝店があるけれども、それに生計を托している者は多くない。至る所で現実に起っている地方工藝の消滅は、アメリカの状況に我々がみな襲われるだろうことの予報である。労働コストは、比較すると、あそこでは法外に高く、かつここでもより高くなることが予見されるため、工藝家は、さらにいっそう個人制作へと追いやられる。第一次大戦以前でさえ、経済学者は、平和時の世界の通常の仕事は、合理的な国際組織があれば一日四時間でできる、と計算していた。

もとより、そんな日はまだ来ていないが、私にはアメリカの女性工藝家の状態は、すでに将来を示すもの、と思える。すなわち、基本的な仕事に基本的な賃金が支払われ、より多くの人が藝術や工藝に携わることで、小規模な表現力のある生活のために、相当な時間がとれるような状態である。予期される最初の結果は、我々が辛い経験でその適切な活用を学びとるまでは、好ましからざる効果があふれることだろう。それは、我々が新たに獲得した自由を誤用するようになる以前には、世に現れなかったようなものと同じだ。幸いに、人類には、徐々に光に向って努力する頑丈な強さがある。ここ数年の経験によって、すべての藝術と工藝の評価と創造は、次第に真実性を帯びてより拡大された、という私の確信は強まってきている。そのことからして、人間の手仕事は、機械の盟友となり、敵ではなくなるであろう。

ミネソタ州セント・ポールにおける全米工藝品共進展の客員審査員として、柳博士、濱田、私の三人は招かれたので、どんな物が作られているのかをつぶさに検証する機会ができた。すぐに判ったのは、英国の同種の工藝展に見られるよりも、現代の影響がはるかに開放的である、ということだ。これは、アメリカ人が我々の退屈な保守性や習慣になっている控え目な言説だと思う、伝統の制約がないことを示している。極めて英国人的である私は、見るものの多くが、伝統の制約や支えという美徳を欠いていて、流行に乗ることと同時に他と「異なる」ことへの過剰な自意識の欲求が作品を損っている、という印象を拭い去れない。

それは単に英国人の偏見にすぎないのかも知れないが、同行の日本の友たちも同じに感じたらしい。他方で彼らは、とくに現代住宅建築に見られる開放性を大いに賞讃したけれども、工藝を通じて十分成熟したアメリカの表現を求めることは、なお尚早と考えたようだ。歴史的に見れば、工藝というものは、ひとえに普通の暮しの中で健やかさと美しさをゆっくりと開花させて行くものだからである。

しかし、過去の歴史は基準ではなく、時は移り家屋もかつてあったようではなくなり、機械が手にとって代りつつある。未熟とは言え、世界の教育は、陶器が考案され作られるようなことに対しても、意識の度合や性質を完全に変革させてきている。たとえ、アメリカの建築家や主婦たちが、手作りのもの、またそれらしくみせかけたものを欲して、高額を支払おうとしても、作物は決して柳博士のいわゆる「美の王国」李氏朝鮮陶磁のごとき無自意識的な鷹揚さを持つことはできないのである。だが、真に完全な藝術家に制作されれば、それは見せ物性や自意識性を超越するかも知れない。濱田は述べた。「柳も自分も、この新しい国に良い焼物は期待していなかったが、期待以上のものを見出して将来への大きな希望を感じた」と。

第二章　日本――第一印象

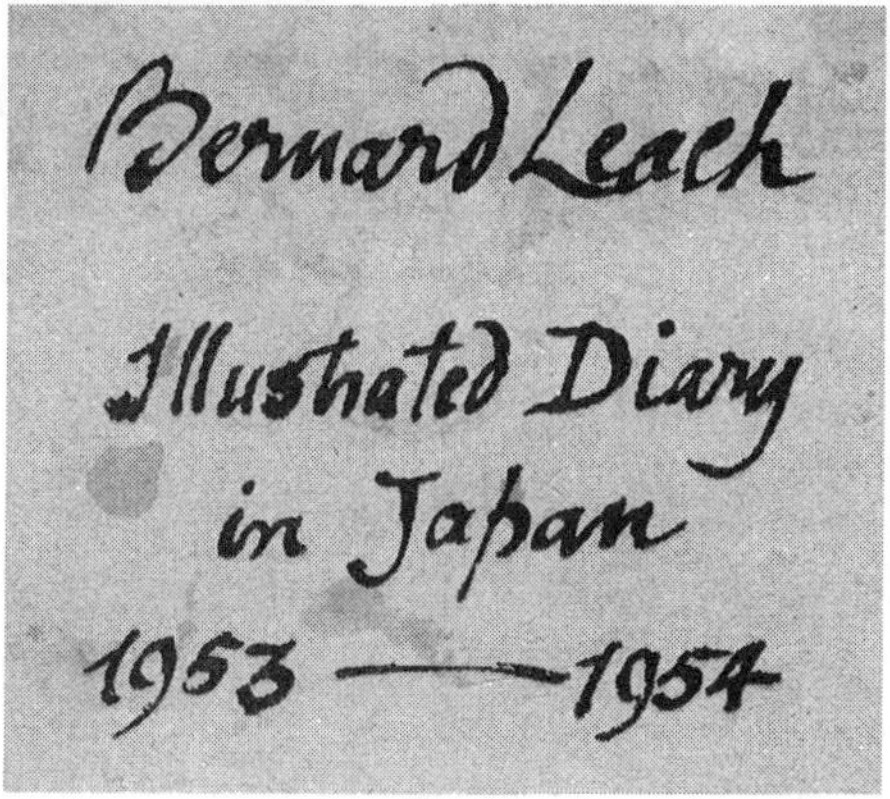

自署題名（旧日本語版）

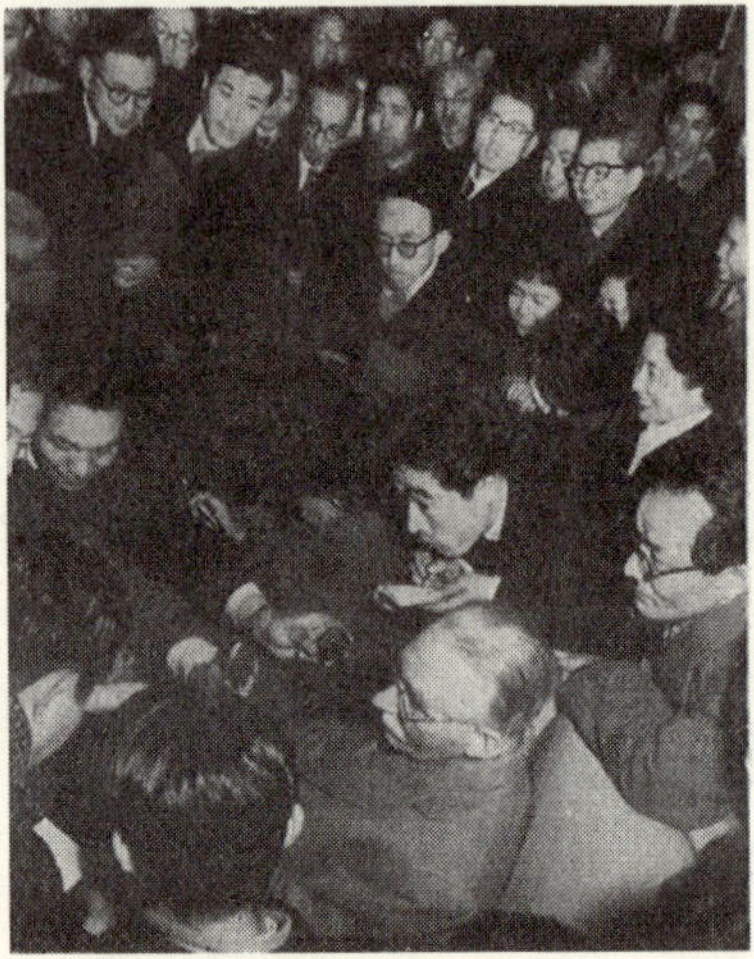
羽田空港での記者会見

一九五三年二月十六日

十八時間の空の旅でホノルルから東京に到着。しかし、人間の決めた時間の調整によって、今日という日は抹消される——存在しないことになる（訳注、ホノルルと日本の時差は十九時間）。しかも、私たちはウェーキ島で、ちょうど一時間ほど過ごしたのだ。この島は、むき出しの珊瑚礁に囲まれた礁湖である。青みがかったみどりの水を内にたたえ、外は濃紺の一色。椰子の木は一本も見当らない。このあたりは、最近のあらしで一面になぎ倒されてしまったのだ。

珊瑚礁の渚《なぎさ》の上でちょっと足踏みしただけで、この太平洋の茫漠とした広がりを、こんなにも短時間に、そして人間業とは思えないほどに、横断したということは、どうも条理に合わないようだし、信じられないように思える。もしレオナルド・ダ・ヴィンチがいれば、かれの夢の実現ともいうべきこのことに対し、なんと言うだろう。

日本民藝館

私たちは無事に東京空港に到着した。クリッパー機から下りると、大勢の新聞記者やカメラマンが押し合いへし合い私たちをとり囲み、税関と旅券の手続きに逃げ込むまで、フラッシュをボンボンたき続けた。おかげで私たちは行列のいちばん最後になってしまい、長々と待たなければならなかった。だが、やっと順番がくると、税関吏は何も検査しないで通してくれた。

このあいだに多くの親しい人たちの顔がドアのガラス越しに見えた。お役所事から解放されると、私は古くからの友達や新しい友人のところに行こうと思ったが、だめだった。群衆を押しわけて進むと、突然濱田（庄司）に出くわしたのである。

彼はしゃがみこんだ大勢の人たちに取囲まれ、口に真空掃除器のようなものを突きつけられ、椅子の上に半分横たわっていた。私は、濱田が急に気を失い、あたりの人たちが彼を蘇生させようとしているのだと思った。だが、次の瞬間には、私も彼の隣に押し出され、筒口を差出されて、次から次へと日本語で質問を浴びせかけられたのである。

「日本の第一印象はいかがですか?」

「どのくらい滞在なさるおつもりですか?」

「お年はおいくつですか?」

私はこれがラジオの録音であることに気がついた。だが、うまい言葉が出ず、返事につまり、濱田と同じようにうんざりしてしまった。そして私たちは、やっとのことで何台かの自動車に分乗し、日が暮れてから日本民藝館の向い側にある柳(宗悦)の家で落ち合ったのである。

二月十七日

私は今朝はじめて民藝館をのぞいてみた。田舎にある古い建物の形に、丈夫に、そしてうまく設計してあり、中にはすばらしい工藝品のコレクションがおさめられている。

日本と朝鮮の作品がおもだが、中国やその他の外国のものもある。また、民藝品だけにとどまらず、すぐれた工藝作家たちの作品も所蔵されている。すべて美しく陳列してあるが、これはとくに私のため、と柳は言った。陳列されていないものもたくさんあり、頻繁《ひんぱん》に陳列

柳邸にて（撮影　西鳥羽善澄）

替えが行われるということである。

日本で伝統的な石造りの建物はまれだが、濱田のいる栃木地方は柔い火山岩（大谷石）を産し、かつては防火建築に、そして農家にも用いられた。二十年前、日光山系へ向って車で皆と旅したとき、私たちはそういう建物を見、車を降りて調べた。そして、それを買取り、解体して東京へ運べないものかと考えた。それが実現して、私立のこの民藝館の一部である、私が寄寓している柳邸の門構となっている。興味深いことに、この石は今は都市のビルディングの一般的建築材で、フランク・ロイド・ライトによって東京の有名な帝国ホテルの建造に使用された。さらに、細い粉末にされて——柿《カキ》——と呼ばれる、この地方通有の釉薬として使われている。

昨夜柳の家に着いたときは、親類、友人、工藝家たちでいっぱいだった。私たちは長いテーブルのまわりに立って、好もしい茶碗や、皿やカップでたっぷり食事をした。食事は中世ふうの味の濃いもので、子供たちの嬉々とした声、スチーム——すべてがたいへんあたたかく、幸福にみちていた。

私は日本の婦人たちが以前よりもずっと自由になっていることに気がついた。私の昔の師乾山《けんざん》の令嬢奈美さんは、私のところにやって来て、もう会えないものと思っていたと言いながら、私の手を取って泣き出した。

午後から、皆で新橋のそばにある東京の代表的工藝品店「たくみ」に出かけ、店内のものをいろいろと物色した。概してつまらないものが多かった。

私たちはこれからの旅行のことや実際的問題について話し合った。

「たくみ」は民藝運動の東京における売場のひとつで、日本人だけでなく外国人からも愛顧されており、日本中から品物を集め、たくさんの現存の地方手工藝品が工業製品の圧迫で消滅せざるを得ないのを守っている。それでも、材料や仕事や意匠の質は低下し、伝統の足りぬもの、最良の個人工藝家の水準にまでは達しないものが、「たくみ」に多量に送られて来るのである。

それから毎日新聞社まで車で行き、本田社長以下毎日新聞社幹部の主催によるカクテル・パーティーに出席した。パーティーには私の伝記の著者である式場（隆三郎）博士、東京国立博物館館長浅野（長武）元侯爵をはじめ多数の人々が来ていた。

帰途、自動車の中から、宮城の濠《ほり》ばたの道と、古くからあるオフィス街の一部を、かろうじて思い出すことができた。東京その他の大都市の多くは、主として焼夷弾によって根こそぎ壊滅したが、よほど注意して見なければそのことには気がつかない。と言うのは、日本のって日本ではもうおおかた隠されてしまったのである。

家はほとんどが木造であり、国民は精力的であるから、戦争の大きな傷跡は、ロンドンと違

二月十九日

午後二時過ぎ。小さな石油ストーブが燃え出すまでは、私の八畳敷の部屋は寒々としている。外は一日中雪。ぼたん雪が降りしきり、窓の外の松の葉は厚く雪をかぶっている。障子のついた軽やかな建具の入った隣家の屋根は、広重の木版のやさしい絵からそのまま抜け出してきたようだ。

午前中は高村（光太郎）君と彼の友人の建築家谷口（吉郎）君と一緒に過ごし、それから家族の人たち皆でおいしい昼食をとった。高村君は彫刻家であり、詩人、批評家でもあるが、日本人としてはロンドンにおける私の最初の友人。ふたりの交友はすでに四十三年来のもので、彼は七十、私は六十六、ふたりとも白髪の老人となってしまった。

一九〇九年に私が日本に来た一年後に、ヨーロッパから帰った高村は、私に向って言った。「なぜ英国人は私たちを〝元気のいい小さな日本人たち〟と呼ぶのだろう。それが好きだと思っているのかな」。私は、英国人の尊大な態度をもごもご言訳したが、彼は続けた、「我々の徴兵たちが、中国東北部（旧満州）でロシア農民に打ち負かされていた時、日本のどの家庭でもレオ・トルストイを読んでいた。戦に勝ったのはトルストイだ。彼は我々の心

に勝ったのだ」。

心を動かされる会合と語り合いだった。大半は日本語で話したが、必要に応じて柳が通訳をしてくれた。ロンドンやパリ時代の思い出、アメリカでの体験談、ニューメキシコのネイティブ・アメリカンのこと、ハワイのことなど、とても興味深かった。そして、柳が民藝館のために帰途集めてきた銀器、民画、タパ布、木の椀などの産物を見ながら、これらの作品の背景となっている生活や風土、種族の歴史について、それから話題を変えて日本の昔や今の工藝品について、アメリカや英国や日本の長所と短所について話し合った。

谷口君は立派な建築家と思われるが、彼は日本の美が、無や否定や不相称という道教の教義の禅宗を通じての影響を受けていることについて、日本固有の理由をあげた。彼はまず第一に国土の形態と性格をその理由にした。火山で孤島で、不揃いで、しかも中国やエジプトのような大平野をもたない国。中国の都市計画は東西南北――すべて正方形で左右均斉となっており、儒教が老子や釈迦《しゃか》の思想に打ち勝っている。

古代日本の天皇の墓さえ不整な恰好をしている（）。この不整形の最高の発展は、すべての東洋文化の波が集まって根を下ろしたこの島国で行われたのである。そして、海は今にいたるまで安全の益を与えてきている。

私たちは「眼識」について話し合った。とりわけ日本人の眼は、茶室――お茶を賞味する時に使う特別の部屋――そもそもお茶の賞味というのははじめは禅僧の慰みであった――での静寂な心境によって、何世紀にもわたり培《つちか》われてきたのだ。アーサー・ウェーレーはかつて我々に、禅がいかに老子の影響をうけているかについて話してくれたことがあるが、我々は日本人の美学が禅に負うところについては十分に聞かされていない。また、だいぶ前にラフカディオ・ハーンは、日本の建築とか詩のような、刹那に重点をおく藝術が地震の国で発達する必然性を指摘していた。つまり、都市計画や大規模な彫刻を扱うのは、日本人にとって難しいが、小さい不相称なもの、量的なものよりピリッとしたものについて日本人が成功するのは、このためだと言うのである。

ハーンや谷口のこのような説明に、私は日本人の部分的なマレー起源を加えたく思う。BC一〇〇〇年頃漂泊の海の民ダイヤク族は、中国の鉄剣が失敗する以前に、中国沿岸への道を切開き、日本に住んでいたアイヌは東へ逃れた。私は、日本人の生活や仕事の器用、清潔、粋、敏感、そして生彩は、ここに淵源すると確信している。

私たちは再び小ぎれいなレストランで顔を合せた。一同は日本の代表的月刊雑誌「中央公論」の昼食会に招待されたのだが、そこで話したことは、後日私たちの旅行記を書くための材料として速記録に残された。石川（欣一）氏が司会をつとめたが、彼は一九三四年に毎日新聞の特派員だったころ、私と一緒にロンドンのレスター・スクェアにいたことがある。

座談会は気楽に、自然に、そして巧みに運ばれた。パーティーは形式ばらない茶で幕を閉じた。中央公論社は私の『陶工の本』の日本語版を発行することを希望しており、この件についてフェーバー社と折衝している（この本は日本語で刊行されていて、第二版が出ている）。

たくさんの放送や報告をしなければならなかった。あまり多すぎるので、柳と私は東京湾を回り、汽車でおよそ七十マイル、あたたかい房総半島の館山《たてやま》という小さな町の静かな日本旅館に逃げ出した。そのすぐそばの村の禅寺で、いまを去る四十三年前、私と妻は、日本ではじめての夏休を過ごしたことがある。当時は汽車もなく、また私たちも日本の風習や言葉を知らなかったので、快適な生活を送るどころか、くたくたになり、食物にさえ事欠く始末となってしまい、おまけに長雨に降りこめられた。その雨ときたら実に十日十晩降り続いたのだ。

しかし、今度はすばらしい休養になって、私たちはたくさんの書きものをした。また、私はきたるべき展覧会に備え、床にかがみながら、筆と墨で日本の紙に絵や壺《つぼ》の図を描いた。食物も十分あったし、日本食も洋食も全く結構だった。私たちが出発するとき東京では雪が降っていたが、これに比べれば館山はずっと暖かかった。梅の花はすでに終りに近く、庭には黄金色のみかんがたわわに実り、いたる所に椿や泰山木《たいさんぼく》があった。

小道の両側には刈込んだ高い生垣《いけがき》——あるものは二十フィート以上もある——が続き、豊かな農家が並び、そして平らな稲田の彼方の眺望は迫りくる夕闇の中になんとも言えず快かった。

三月三日

東京へ戻り、上野公園に近い松坂屋で濱田や柳と一緒に講演をした。聴衆約三百人。私は二十五分間にわたって話をし、柳が通訳をしてくれた。セント・アイヴス窯の映画も見せた。

通訳は良かったが、流れが止まり、もし、私が日本語でやれたら、と思った。この店のアート・ギャラリーで、英国から船便で来る私の陶器や絵の最初の展覧会が、民藝協会で準備されており、二週間開かれることになっている。

今日はまた思いがけないことに亀ちゃん（森亀之助）の従妹が私を訪ねてくれた。彼女の語るところによると、私たちは四十年前に彼女の家を訪ねたことがあるという。その当時彼女はまだほんの十五歳の少女だったとか。彼女はまた亀ちゃんが肺病で彼の父親の家で息を引きとったことを話してくれた。しかし、彼女は彼がどこに葬られたかは知らなかった。彼の両親は前に亡くなっていた。

気の毒な亀ちゃん！　君の人生の目的はなんだったのだろう。かつて君がまだ十三歳の頃、私のエッチング画の載っている新聞を片手ににぎりしめ、ぜひ私の弟子か下働きにしてくれと頼みにやって来なかったら、君の一生はもっと幸福だったのではなかろうか。

彼はいつも「そうじゃない」と言っていた。あのころ私にもっと洞察力と将来への見通しがあったら、一文なしの子供が外国人のもとで藝術の修業をするということは、彼の将来をただ困難にするだけだということがきっと判ったに違いない。しかし、それに気がついたのはその後二、三年してからで、時すでにおそかったのだ。私は当時、その結果が早発性痴呆症やこのような孤独や失敗をもたらそうとは夢にも考えなかった。

亀ちゃんは藝術を愛し、ウィリアム・ブレークやセザンヌやヴァン・ゴッホを愛した。そして、精神病院に引取られる前には、うまい絵を何枚か描いた。かわいそうな亀ちゃん！

夕飯は国連クラブでブレイク夫人一家と一緒にとった。占領時代、民藝館が米軍将校たちによって出し抜けに、しかも一方的に接収されようとしたとき、これを救ったのはほかならぬ彼女であった。そのとき、彼女はたまたま民藝館を見にやって来たのだが、館が絶望的な雰囲気に包まれ、狂気のような荷造り作業が行われているのを発見した。事の次第を聞き終った彼女は、黙ってGHQに直行し、関係者に会ってその愚かな行為を中止させたのである。

アメリカ軍司令部は、美術館に隣接すれば居住区として極めて好適となることは疑いない。その証拠を、私は、浴室の上にある洗面所の壁に書かれた進駐軍高官の「除去――シャワーと入替えろ」という鉛筆書きで、毎日見ている。

これは民藝館にとって二度目の命拾いだった。最初の命拾いは米軍の焼夷弾攻撃で付近の家が火に包まれ、民藝館のすぐ前の立木や茂みが燃え出したので、柳兼子さんがバケツと箒で火に向って奮闘し、ついに最後に風向《かざむき》が変ったのだ。

三月六日

民藝館の中で若い工藝家の人たちと会った。彼らの中には染色家の芹澤《せりざわ》（銈介《けいすけ》）君のお弟子さんである婦人たちも大勢まじっていた。私たちは外国の工藝や、日本の工藝の弱点や、仕事の取捨の難しさや、また権威などにとらわれることのない指導について話し合った。織物と染色の本質、米国でのこれらのものの驚くべき欠如などについても語り合った。

彼らはダーティントン会議の繊維部門について、いろいろ私に尋ねた。そして、最後に私はエセル・メーレ——彼女のことについては、彼らもすでに多くを知っていたが——の生活、作品、そして、私たちの滞米中の彼女の死などにふれ、話を終えた。また、民藝館で彼女の追悼展覧会を開こうということも提案された。

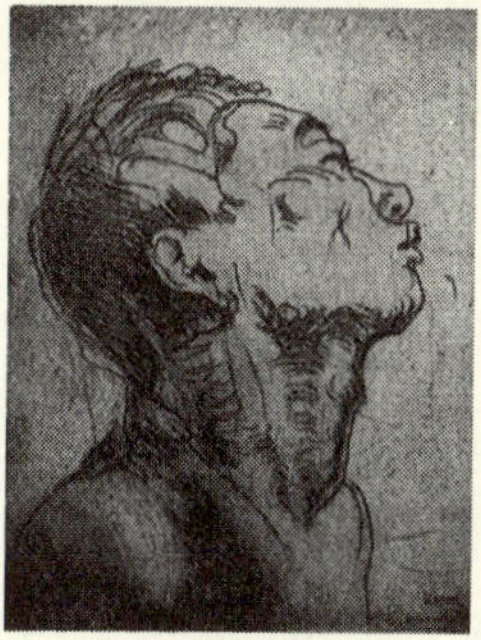

亀ちゃん

注　エセル・メーレは、疑いもなく今世紀で最もすぐれた英国の織物家である。彼女の最初の夫は、有名なインドの批評家クワラスワミだった。彼女はセイロンで彼と結婚生活の初めの四年間を、東洋から工藝と色彩のイデを吸収しながら過ごした。そして、彼女はそれをまずチピング・キャムデンで、のちには、サセックスのディッチリングで自身の仕事に統合した。

織物家が、英国でも外国でも、彼女の霊感のお蔭を蒙っていることは、今もよく知られていない。

この日の会合は五時間も続いた。もちろん途中で食事をとってのことである。そうそう、その前に、これとは別に約百人あまりの工藝家たちと会ったことを書くのを忘れていた。彼らは歓迎かたがた私たちの話を聞こうとして、日本全国から民藝館に集って来たのである。

三月七日

昼過ぎから柳悦孝《よしたか》君のところへ出かけた。彼はすぐれた織手で、柳の甥にあたる。私は彼の仕事ぶりや道具を眺めた。道具は檜《ひのき》の古材で作られた美しいもので、新しいのや古いのがいろいろあり、彼は自分で設計して織機をつくるのである。みんな立派だった。たまたま八丈島からきたたいへんみごとな絹織物——目がさめるような黒と黄で染められている——も見せてくれた。

夕方すぎ、旧友の川崎氏が来訪、戦争中のこと、セント・アイヴス時代の彼の思い出、子供たちのことを語り合った。川崎氏は最初の家を空襲で焼け出され、つぎに神戸の家も爆撃にあったのだが、彼は私の作品である幾つかの焼物と一枚の絵とを焼失したことについて、最も心を痛めているように見受けられた。川崎氏はその名の大きな造船会社の社長であったため、例にもれずパージになり、戦後数年間は社会生活から引退しなければならなかった。

現在の彼は神戸のニュー・オリエンタル・ホテルの支配人で、昔とちっとも変らぬ愛すべき人、だが悲しみがかげを落している。

三月十一日

大使のエスデル・デニング卿にお昼に招《よ》ばれ、柳と英国大使館に行った。客は、文化アタッシェのレッドマン氏とフィギス大佐。デニング大使とフィギス大佐は初期のころの中国の焼物を集めている。

翌日の朝、私たちは文化使節として来日中のイエズス会神父ダーシー氏と会うため、英国大使館のカクテル・パーティーに招かれた。キャンピオン・ホール氏も一緒だったが、彼はオックスフォード出の聡明な、心のきれいな哲学者で、藝術の愛好家でもあり、英国紳士である。たいへんな人々の群《むれ》、それも大半は日本人で、私の知っている人も何人かいた。朝鮮の李王妃に紹介されたが、彼女は私の作った焼物を一つ持っていると言っていた。それは濱田が彼女に贈ったものだ。

ドレリア
オーガスタス・ジョン

ダーシー氏とオーガスタス・ジョンの自画像に

リーチ展ポスター

ついて話し合い、ジョンの初期の作品と後期の作品とを比較した。――私は一九二〇年、柳に「ドレリア」の一つを贈ったが、それは今も民藝館の壁にかかっている――またスタンレー・スペンサー、とくに最近の彼の作品における性的傾向についても語り合った。ダーシー氏はカソリック教会から警告をうけた「白昼《まひる》の悪魔」を話に出した。白昼という言葉は人生の盛りともとれるわけだ。

三月十四日

展覧会の準備をするため松坂屋に出かけた。私が先週描いた十八枚の絵を表装し、壁に掛けた。

会場では手伝いの人がたくさん働いており、私はただ所々で指示を与える以外、自分では何もすることがなかった。彼らは観る眼があり、作品を器用に取扱い、また心からの協力ぶりを発揮してくれた。

ポスターは東京中に貼《は》られ、きれいな彩色をほどこした招待状や、新しい写真を入れたセント・アイヴス工房の日本語版もできあがり、良いレストランの食事の用意、運送など、準備はすべてととのった。

三月十五日

内覧会の日。半ダースほどの西洋人。天皇の弟宮高松宮が見えられたので、いささか驚きもしたし、また困惑した。宮は英語と日本語の両方で話された。私は皇室の方々を特別扱いするようなやり方を申訳なく感じたが、むろん私には判らない。しかし、宮様は私の気持をくつろがせてくださり、展覧会をご覧になったあとで、私たちは一緒に紅茶を喫して、いろいろとお話しした。宮様は知的な顔だちをしておられる。心からこの会に興味をお持ちのような印象を受けた。

三月十六日

夕方、柳兼子さんのリサイタルに一同大挙して出かけた。彼女は久しい間日本で一流のアルト歌手として認められている。昔は、彼女の声域や歌唱術に驚かされたが、正直のところ、兼子さんがもうだいぶ年をとっているので、西洋音楽の表現やその背後の精神を理解する自由さに達しているとは思っていなかった。

会場は満員だった。ところが、シューマンの歌曲がいくつか歌われ、プログラムの三番目が終るころには、私は自分の考えを変えなければならなかった。そして、最後にマーラーと日本の作曲家信時潔《のぶときよし》の歌が歌われたときに、私は長年のあいだ彼女に対して不当な評価を抱いていたこと、そして、今や彼女が円熟した釣合のとれた藝術家であることに気が付いたのだ。彼女には誠実さと威厳と非常な優美さがある。それは彼女の歌い方の中だけではなく、その一つ一つの動作の中にも見られるのである。

三月十七日

朝早く柳と一緒にバスと電車で鎌倉に出かけ、鈴木《すずき》大拙《だいせつ》博士の仏教図書館（松ケ岡文庫）を訪れた。鈴木博士は禅の指導的代表者であり、禅宗と真宗については日本語と英語で多くの著書を書いている。

私はニューヨークで、鈴木博士と何回か会ったことがある。もう八十歳を越えておられ、禅の思想と生活の本質を西欧に紹介する点では誰よりも大きな功績を残した人である。

柳は学習院の学生時代に彼の教え子だったが、現在はこの文庫の将来に対して責任を持っている委員会の長をしている。柳は哲学者として広い知見を有しているが、とくに彼の美学を発展させる上で禅宗に負うところが多かったのである。

ニューヨーク滞在中、私たちは、ハドソン河を見下ろす彼の小さなマンションで博士を囲んでたいへん有益な話に何時間かふけった。彼が偉大な人間であり、真の深みと洞察力をそなえた人であることは皆にすぐ判った。彼は仏教について語ったが、仏教の目的は二元論の彼岸に存在し、しかも二元論に捉われることなくそれを使いこなせるような精神状態を作ることにある、と言う。禅宗と真宗は個人の努力と没我の謙虚な道をそれぞれ説いているが、彼は、はっきり違った二つの道も小山の頂上では相会すると語った。

彼によれば、天才の、そして多くの場合藝術家のたどる道はけわしくて、落し穴や自己欺瞞にみちているが、「他力」に対する謙譲と信頼という広い道――日本語で言う「他力道」、阿弥陀――親様（我々の神の概念にもっとも近い）に対する帰依は、自我執着の性を帰依の度に応じて洗い流してくれるのだと言う。これはすぐれた現代心理学であり、道徳であるように思われる。柳はこの考えを現代工藝家に適合させたのである。

鈴木大拙博士

私たちはある茶人の家に集まった。彼は良き骨董商のひとりである。茶室に坐って、古い茶碗や初代乾山の十枚揃いの皿を鑑賞した。彼はこの皿を来月開かれる乾山の展覧会に出品することを応諾した。茶碗の中には「大井戸」として知られている朝鮮王朝初期の、かなり継ぎはあるが、立派なものがあった。

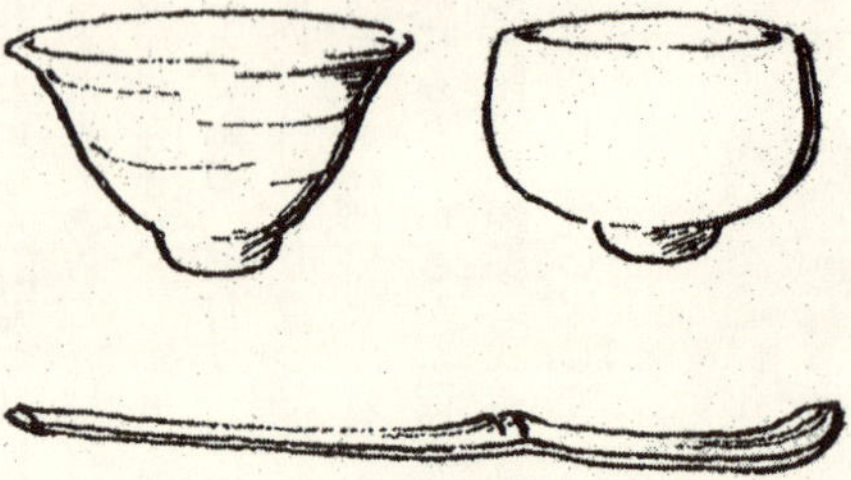
茶碗（上）茶杓（下）

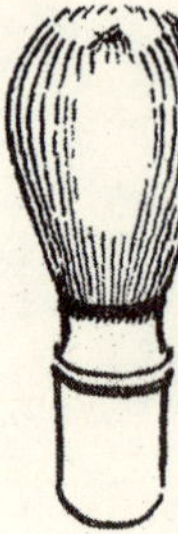
茶筅

あとで駅に向かう途中、柳が箱を一つ下げているのに気がついたので尋ねてみると、彼はその箱を軽くたたき、うなずいてみせた。値段は一万五千円（十五ポンド）、斎藤氏が民藝館のため半値で提供してくれたものだという。

しばらく後になって私たちは内輪《うちわ》のお茶の会に招待された。一行のうち十人は、小さく簡素な、しかし精妙な作りの茶室に坐った。外国人として私はいつものように「主客」になったが、その前から畳の上にあぐらをかいて坐っていたので足の骨が痛くなった。そこで許しを求めて床の間の柱に寄りかからせてもらった。後になって作法を破るよりは初めに破った方がよいと考えたし、それに私は最初にお茶をたててもらう番だったので、誰の作法もまねる必要がなかったからだ。

私はお点前を非常に楽しく見守った。茶碗をはじめとして道具一式はとても良いものだった。茶碗のひとつは古い朝鮮のもの、それと道入の黒楽とが交互に用いられた。

部屋には、障子を通した光がみちていた。若い女性がひとり部屋に入って来て、真剣な面持で無言のまま点前を始めた。彼女は膝をついて襖《ふすま》をあけ、立上って通り、そしてまた坐って静かに襖をしめた。彼女の手足の動作には清楚な優雅さがただよっていた。白い木綿の足袋は小さな爪先と大きな爪先とに分かれていた。動作は釣合が取れていて、むだがない。私はふとハーンの言葉“cleft grace of a faun”「若鹿のひづめの美しさ」を思い出した。彼女は茶碗を拭《ぬぐ》い、それから抹茶《まっちゃ》の粉を茶筒から各人の茶碗に入れるのに使う茶杓を拭いた。そして、法式化された動作で、袱紗《ふくさ》を器用に折りたたんで、懐《ふところ》にはさんだ。彼女は煮え立ったお湯を炉にかかっている釜から柄杓で一杯汲み、私の茶碗に注いでお茶と混ぜ、茶筅《ちゃせん》で中を搔《か》いて泡立たせた。

それから茶碗をおもむろに回し、両手で客の方にそっと畳の上をすべらせるようにして差出した。客はお辞儀をし、「いただきます」と言って、高台の下に左手を入れ、右手を軽く添えて茶碗を水平に持って飲みやすくした。ひと口飲み、次にふた口目をもう一度ゆっくりすすり、それから茶碗を回して底に緑色の泡をためてから、音をたてて最後のひと口を飲み、お辞儀をして、両手で茶碗を前へすべらせた。それから次の客の番になった。

お茶を飲む前に私たちは羊羹《ようかん》――小豆をゼラチンで練った甘い菓子――を供された。お茶の会で使われる菓子は特定の種類のものに限られている。それは最高級の品でなければならず、ほろ苦い抹茶の味を強める作用を持っている。

言い忘れたが、お茶を飲んだ後で茶碗はあちこち回しながら鑑賞される。洗練された賞讃をするのが習慣になっており、こういう場合はそれらはきわめてまじめなものである。だが、茶道は邪道に落入ってしまった。茶道は現在主として婦人の修養となっているか、あるいは茶道本来の高貴な伝統を形式主義に堕落させた怠け者や無知な人々や金持連中の遊びごとになってしまっている。有名な茶杓ひとつが二千五百ポンドもするほど——それも茶杓そのものの値段というよりは、それが入れてある精巧な箱に書かれた署名のために——お茶の道具に途方もない金をかけているのだ。二、三日前に報道されていたように、たとえ舶来のつまらぬ道具を使うことで実際に茶道が卑俗化されていないとしても……。

生花《いけばな》にいたってはもっとひどい。私はさきごろ、生花の展覧会を見に行ったが、そこでは、絵画彫刻界における近代的動きの中で一番悪い面を、精巧だが非創造的な日本の生花に結びつけたものが展覧されていた。私は、どの分野でも二流藝術は好まないが、しかし東洋と西洋の最も悪いものを結び合わせたこういうものは全く病的だ。

三月十七日〔ママ〕

私の展覧会が始まってから最初の二日間で、焼物は全部、絵もほとんどが売れたという話だ。松坂屋百貨店の係の人たちから、勤務時間終了後に、職員たちに話をしてもらえないかとの申し出があった。こんなことはロンドンではおよそ想像できない出来事だ。

富　士　山

　昼食後、私たちはここと横浜とのあいだにある蒲田へ出かけて、第一級の染色家、型染の芹澤君を訪ねた。芹澤君はたしかに工藝藝術家であり、すぐれた図案家で、また常に良心的な人である。私は二十年前に彼と知り合った。現在彼にはかなり大勢のお弟子さん——約五十人ばかりの直弟子がある。

　彼は植物性染料で染めたすばらしい布や模様を刷った紙を見せてくれた。その中にはデザインが非常に大胆すぎる、と言うより華美すぎると思うものもあった。彼は絵を描くための紙を一束くれ、それから日本の古い絵の具を見せてくれた。その絵の具は彼の植物染料と同じようにたいへん気持のよい

蒲田の喫茶店の器　（上）羽島・岡山県　（下左）牛の戸・鳥取県（下右）益子・栃木県

色で、種類は限られていたが、私にはかえってその方がよいように思われたくらいである。工藝家は誰でも過多より過少を良しとする。

芹澤家からの帰途、私たちは線路沿いに駅まで歩いた。その途中、貧民窟のような狭いごみごみした場所を通った。そこはかつて一面に焼けたところだが、その後、一時的なずさんな方法で新しく家が建てられたのである。

誰かがコーヒーを飲もうと言い出した。すぐそばにバー付きの喫茶店があったので、私たちはそこに入り、おいしいコーヒーとまことにけっこうなシュークリームを食べた。私がそれよりもっと驚いたのは、この店が「たくみ」民藝店のみごとな現代工藝品——陶器、染織品、紙など——を店

鳥　居

全体に飾り付けていることだった。

店の人たちに私が驚いたことを話すと、彼らはその近くにこの店と同じような飾り付けをした酒場兼喫茶店がもう一軒あると教えてくれた。

そこで私たちはたくさんの横丁を通ってその店を見に行った。その店が見つかったので、私たちは食事をするため六フィート×九フィートぐらいの小さな部屋に陣どった。部屋の畳の真ん中には調理用の炉が切ってあった。

私たちはおいしいスープと、最上等のポークカツなどを食べ、最後に、米を醱酵《はっこう》させて作った、あたためたおいしい酒を飲んだ。

私は店の主人から絵を描いてほしいと頼まれた。インク、硯《すずり》、紙、筆など

川と山の風景

がさっそく用意され、私は一枚の壺《つぼ》の絵を手早く描き上げた。店を出る時私たちが勘定をきくと、主人は代金を受取ろうとせず、しかもお酒四本と店の写真とマッチ一箱ずつを逆に贈ってくれた。マッチの上には彼が自分で小さな絵を描いてくれた。主人は、「私は一生懸命働いてたくさん稼ぐんですから、あなたから一銭もいただかなくてよろしいのです」と言っていた。この店は英国の普通のパブによく似ており、客の多くは労働者だった。

三月二十二日

濱田、柳、村岡らと一緒に午前九時発の「つばめ」で二百マイル南方の名古屋に向かう。乗心地のよい車室——アメリカふうの二等車——は英国の一等車にあたる。

途中、頭上に幻のように聳え立つ真っ白な富士山の麓を通った。平坦に続く緑の稲田と乾草の小さな山、工場などが山の麓に広がっている。反対側はまばゆいばかりにきらきら光る海で、漁船が剣のように沖へ曲線を描いていた。石の多い浜辺には青い空を背景にピンクと鮭肉色のえびを乾した四角い筵が並べられていた。鳥居、そして人気のない小さな神社、それに通じる石段に影を落す杉の木立。空虚――それは日本ではきわめて深い意味をもっている。

仏寺の静寂な境内――傾斜をもった、灰色のその瓦屋根。地上に密集した藁葺《わらぶき》の農家。段になって稲に水を注いでいる小さな谷。丸く、整った、そして濃い影を落して点在する茶畑。黄金色のみかん。つややかな白い木蓮。さかりをすぎたピンクの桜の花。竹藪はいたるところにあり、そして丘の麓の松の木の群、勾配のけわしい傾斜面には菱紋のついた土塀が見える。丘を流れて海に注ぐ水。洗いけずられた石の多い浅瀬を急流となって流れる透明な大河。トンネル。海岸沿いに走る自動車。

車内でのサービスは至れりつくせりだった。私たちの手荷物は片づけられ、靴はきれいに磨かれ、おまけに車内のラウド・スピーカーからは適切な注意や知らせが報じられ、電報扱い駅も教えてくれた。腰掛は調整自在。きれいな紙に包まれた地方の名物も、車内で売りにくる。サービス係は前もって食事の注文を取り、私たちが頼んだ品をすぐにもってきてくれた。食事は西洋風で、質もGWRなみ。値段もほぼ同じである。

日本というところは、なんと人口の多い国だろう。超満員の都会のバスや電車、そして人ごみの通りだけではなく、田舎でも人はあふれている。英国本土に八千二百万の人間が住んでいると想像してみよう。彼らはどこへ行くだろうか。どこかにあふれ出なければならない。一見したところ日本の田舎は、かなり繁栄しているようだが、都会以外のところに千百万もの人間が住んでいるという。彼らは重労働に慣らされているが、これは単に金のためではなく、彼らにとって生活の期待と責任なのである。そして忍耐強く、こつこつと作られた田園の美は彼らのものなのだ。

だが同時に、汽車の沿線にはおびただしい広告板が乱立している。それらの広告は夜はネオンをつけ、昼夜の別なく旅行者の目をひくようになっているが、こういったものは、至るところにあるラウド・スピーカーとラジオの叫喚、交通機関の騒音とともに、まことに野卑で非日本的な現象だ。

名古屋駅では毎日新聞と松坂屋の人々が出迎えてくれた。新聞社のカメラマンや旗をもった人たちも来ていた。私たちは自動車でデパートに向かったが、そこは東京の各デパートと同じように限度を越えた混雑ぶりだった。応接間に通され、紹介、名刺の交換、お茶とお菓子の接待といった、どこでも同じの、いつも通りのことが行われた。

それから広重の絵を見るため、徳川美術館に行った。約百年前に広重の子供を埋葬する際、棺の裏打に使われていたのがこの美術館にある絵である。その棺は三重になっていて、一つの棺の中にもう一つの棺が入っている。湿気にもかかわらず、紙や絵具の色は少しも傷んでいなくて、幾枚かは独自であった。私は広重を立派な気どらない日本の風景画家だと思う。濱田は彼を評して印象派と言っていた。

美術館を見てから、名古屋郊外にある八勝館というこの美しい古いホテルに落着いた。ここは私が今まで泊ったどのホテルよりも良い。部屋、庭園。そして真の礼儀とか上品さなどとは関係のない、いわゆる「サービス」がない点で。濱田はこういうサービスは「好意」だと言う。贅沢──たしかにそうだ。

しかし、それ以上のものがある。つまり社会関係が形成され、藝術が日常のあらゆる行動の中で絶えず現実の役割を果していた当時の生活態度、これがこのホテルに体現されているのだ。私たちが目をとめるあらゆるもの──茶碗、漆塗の籠に入れられた熱い蒸しタオルの具合。あらい手ざわりの、あまり釉薬の掛っていない石皿に盛られた、カシの葉でくるんだ菓子の形と色。襖のいぶし銀箔の上に描いてある花模様。床、格子窓、壁、天井の矩形の空間など──すべてについて言うことができる。

このような気持は感覚を通じて養われたもので、西欧流の実証的な目まぐるしい知性によってではない。つまり、事物の内在的至上命令に対応する直観と情緒によって養われ、客の同様の才能によって助長されたのである。

部屋は全部で二十あり、一部屋ごとに女中がついている。客は食べたり、寝たり、しゃべったり、歯を磨いたりする以外に自分ですることは何もない。

夕方近く私たちは庭園を散歩した。ホテルの主人はお茶や詩歌について話をしてくれた。松の植込のあいだから、別の客人が逍遥している姿がちらりと見えた。その人はパラつく雨の中を、女中に唐傘《からかさ》をさしかけてもらいながら歌を作っていた。古い納屋の中に何本かの非常に大きな雨傘があったので、何に使うのだと尋ねたら、野点《のだて》のときに使うとのこと。あなたがたもなさいますかというので、あまりご迷惑でなかったら、ぜひ、ということになった。絨緞や掛物、炭などが用意されているあいだに、私は大急ぎで絵を描き、みんなのところにかけつけた。

夜、盛大な宴会が開かれ、およそ十二人ばかりの藝者が私たちの接待をした。彼女たちは私たちと話をしたり、酒をついでくれたり、踊ったりした。ある踊りは古い良い踊りだったが、ほかのものは皮相だった。しかし、衣裳とか姿態は、日本の標準から言えばすばらしいものではなかったにせよ、それは私のような異国人にとって、たいへん興味深いものだった。卑俗さなど何もなかった。

このような藝者パーティーには非常に金がかかるものだが、私たちは一銭も払わなかった。毎日新聞か松坂屋が万事負担してくれたのである。日本の新聞社やデパートが、彼らにとっては領域外と思われる美術やスポーツ、その他の事柄の関心を深めさせるためにやっている事業には、全く驚き入る。

三月二十四日

瀬戸陶器学校で講演。この学校はストク・オン・トレント技術学校に相当するもので、日本にある多くの古くさい和洋折衷の市役所と同じように陰気な建物である。窓からは煙っぽい瀬戸市が見渡せる。この町には三千の窯《かま》があり、粘土を洗うので白く濁った川が町の中央を流れている。

瀬戸と多治見の陶器製作所を見学。荒川豊蔵氏、加藤幸兵衛氏、加藤唐九郎氏の仕事場を訪れた。また二十五万個の焼物を二週間かけて焼く巨大な古い丸窯に登って見学した。瀬戸は古くからの窯業の中心地である。今は半ば工業化され、条件も変りつつあり、これらの山側を占める巨大な窯群は最早無用となった。

午後、若い方の荒川氏宅を訪問した。彼の家は松林を登りつめたところにある。私は彼の簡単な素焼窯と屋根に注目した。それが仕事場の中ではいちばん頼もしく見えたのだ。

帰途、虎渓山《こけいざん》、あるいは苔山として知られている栄保禅寺に立ち寄った。広い、部分的にはきわめて古い美しい禅寺で、三十人の坊さんがここを管理している。私たちは老師に招かれて彼の部屋に行き、抹茶を御馳走になった。地味な、しかし威厳のある衣をつけた若い僧が、厳粛な作法とゆったりした動作でお茶をもてなしてくれた。それは、私の思いを茶の初期にさかのぼらせた。きれいなお嬢さんたちが点てる当世流行のお茶の無意味さとか、上品さは全くなかった。老荒川氏作の中国初期の伝統をひく天目茶碗は、全部がほとんど同じもので、漆器の茶卓にのせられていた。茶の仏教的背景は、藝術のための藝術という性格よりはるかに明瞭だ。

静かな間をおいて後、老僧は私の背後の窓から外を眺めるようすすめた。繊細な障子をあけて見渡すと、目の高さの半ば埋れた岩や、立木のあいだから緑の苔や曲りくねった小道が見えた。——自然美の発露であった。老僧が「お気に召しましたか」と尋ねたので、私は思わず「いいな」と答えた。彼は私の返事が気に入ったと見えて、その部屋からよく磨かれた廊下伝いに部屋部屋を案内し、屋根のある通路を堂から堂へと導いて、絵や巻物を見せてくれた。庭園や庭石なども一見した。

老僧は、とある部屋の前で立ちどまり、障子をするすると開けた。と、そこには坐禅を組んでいるひとりの客がいた。私たちにも彼が禅の瞑想にふけっていることが明らかに判った。老僧はそこに人がいるとは知らなかったらしいが、しかしどんな場合にしろ予告は行われないのである。立派な広い入口を背にして、老僧は、帰るのでも寺にいるのでも、よいようになさいと言った。

三月二十五日

京都。落ち着いた快適な日本旅館。後になって、私たちの泊った部屋が『皇太子の窓』の著者であるヴァイニング夫人によって使われた同じ部屋であるのを知った。それで私はさっそくその本を非常な興味をもって読み始めたが、良きクエーカー教徒が親しく見聞した天皇一家の生活を知りたい人はぜひこの本を読むとよい。とくに私は、この本を、今、皇太子を排斥したがっているニューキャッスルの退役軍人に同情する本国の英国人に勧めたい。戦争中の感情の重圧下にある人々が、根本的な欲求——この場合には理解と平和だが——を促進するにあたって、最も縁遠いと思われることをするのはなんとも不思議だ。

堀内清君やアグネス・アレクサンダーさんといった昔の友達に会うのは、なんと嬉しいことだろう。堀内君は現在一流の歯科医で、彼の父君は私の父や祖父の歯医者だった。アレクサンダーさんは四十年前私にバハイ教を教えてくれた人である。当時私は一向に理解できなかったが、なんのために日本へ来たんですかという私たちの質問に、彼女が、あなたはお判りにならないかもしれないが、私は小柄なペルシアの老紳士が日本へ行くようにと言ったので来たのです、と答えたのを覚えている。小柄なペルシアの老紳士、それがアブドル・バハである。

ロータリー・クラブの昼食会に招待され、話をした。富本憲吉と彼の新妻をその小さな家に訪れ、明快で優雅な彼の絵や焼物を鑑賞した。彼の作品には引締った鋭さが加わっていたが、これは彼が経てきた苦労のためだと思う。

焼物の世界での私の一番古い同行の友である彼と、再び膝を交えて語り合うのは、なんと嬉しいことか。若き日、私たちは兄弟のごとくで、どんな距離のへだたりも考えの相違も、根本的な結びつきを切断することはなかった。彼は濱田とともに、現代日本の陶界に最も大きな影響を及ぼし、ともに政府により人間国宝の栄誉を与えられた。

濱田は富本を日本最高の陶藝家と考えており、富本は濱田のことを最良の工藝陶工だ、と私に語った。しばらくたってから、彼に私の『A Potter's Portfolio』一冊を贈った。数日たつと、私は次のような感謝の言葉を受取った――「いままで見たことのない、最良の本です」。

それから毎日新聞の講演会に行き、二時間半にわたって、セント・アイヴスの映画とネイティブ・アメリカンの焼物のスライドを使って講演した。会場は満員だった。通訳なしで話をしたのだが、最初の講演のあとは、いつもそうだったのだ。私の語彙は限られていて、軽業みたいに操るのだが、それは聴衆を楽しませた。話すままで、よく判ったのである。

その後みんなでお春さんの家に集まり、機知にとんだ話と賑やかな笑い声の中で、おいしい食事をともにした。佐々木春さんは未亡人で、河井や岩井君の仲間たちとは、昔からの知合である。彼女はかつては藝者だったが、聡明な、趣味の良い、立派な女性で、現在はホテルを経営している。私たちは地方の食物について、いろいろとおしゃべりをした。彼女はお客の誰彼の注文する特別料理を一晩のうちに三回も用意してくれた。

ここで、日本社会の〝藝者〟を説明しておくのがいいだろう。〝藝者〟は、接待人で、必ずしも不道徳な女性ではない。かつての家庭の女性の生活は家にあり、社会生活での男性に混ざることはなかった。女性との交際は、高度に訓練された歌い手と踊り手と話し上手に限られており、彼女らの位置は、古代ギリシアの遊女に比べられるだろう。

いつものように、食後のいちごとクリームが出た。日本の献立には、甘いものやプディングは含まれず、果物が出る。それらは早く熟成させた種類のもの。日本は、冬中、外の南面の岩棚でいちごを栽培する方法が発達している。紙袋を被った大粒のいちごを、毎日、手で太陽へ向けさせるのである。

三月二十六日

自動車で大阪へ。たくみ工藝店大阪支店は歓迎の意を表して、店の外にユニオン・ジャックと日の丸の旗をかかげていた。そこから小さな民藝館へ行き、さらに関西クラブへまわった。数名の外国人をまじえた一流の実業家たち多数に会う。——講演。それから毎日新聞できのうと同じく二時間半の講演、聴衆五百名。そして、昨日同様二時間かかって京都。それから、わたしたちのうち十六人は藝者のいる晩餐会に出た。——ちょっとした男女のたわむれ——藝者たちの言寄りを、柳や濱田が受け流す様子を見ているのはおもしろかった。

最後に、私たちは郊外の、ある人の家に一晩泊めてもらうため案内された。私たちの中でこの人を個人的に知っている人はひとりもいなかった。そして今、私は簡素で美しい離れの庵室で、心地よい蒲団の上に寝そべってうつらうつらしながら、半ば彼方の世界の、そして

田畑と農夫

異なった環境にいる読者に、こうした経験を伝えようと空しく試みている。私が毎日このような比類のない機会を経験していること、これを私たち西洋にいる人間は知る必要があるし、尊敬し、かつ愛しさえしなければならないと私は考える。

時は単純に内的生活から感覚を通じて流れて行くが、これらはすべて外部で行われている西欧化の混乱によっても滅ぼし去ることができなかったものである。語らざる美。ほとんど何もない部屋。物の巧みな整理。茶碗の中の緑茶の色。箸台の上にのせられた箸の姿。床の間の壁に掛けられた掛軸の文字。紙障子を通した白い光。障子に映る竹の葉の影。まだまだ限りなく挙げることができるが、それらの美は真に感受されるものの中にこそ存在するのでなければならない。

三月二十七日

今朝早く、柳が悪い知らせ——八十余歳の濱田の父上が突然亡くなられたという——をもって私の部屋にやって来た。まだ間に合ううちに益子へ行って、もう一度彼の父上とお会いしなかったことが悔やまれた。敬虔な仏教徒で、冬には狭い善の道と広い悪の道を表わす大きな図を書き、夏には金をもたずに日本各地を徒歩旅行してあらゆる人にその図を配り、仏法を説いて、その晩年を過ごしておられた東洋の伝道者バンヤン。

私たちは非常に日本的な朝食——大豆を醗酵《はっこう》させて作ったスープに生魚と「うに」、それにいろいろの漬物を食べた。読者には、この日本食が気味の悪いものに思われるだろう。実は私とても英国風の朝食のほうが好きなくらい保守的なのである。柳の家でもそういう朝食を出されたことがあるが、たとえば生魚などはすばらしいもので、先入見とは戦わなければならない。よその国の食事を食べることは、よその国の人々を知る最もよい道だから、私たちが保守的であるということは残念なことだ。口は二つの感覚の入口である。

食事がすんでから、私たちはここの主人が蒐集した仏教彫刻と面を見せてもらった。勝山氏は面をどれか一つあげるといって聞かなかった。中でも、八世紀の舞楽面と称される若干のものは——それが初期の頃の模倣作品かどうかは知らないが——貴重なものだった。そこで私は、おそらく十八世紀頃の作品と思われる生き生きとした「おかめ」（ほほえむ女性）の面をもらうことに妥協した。私は勝山氏に絵を描いた。

大阪に戻る。たくさんのおしゃべり——日英協会——工藝家グループの放送討論——洋式スタイルの新しい大阪ロイヤルホテルでの晩餐会。ここに一泊。支配人の山本為三郎氏はま

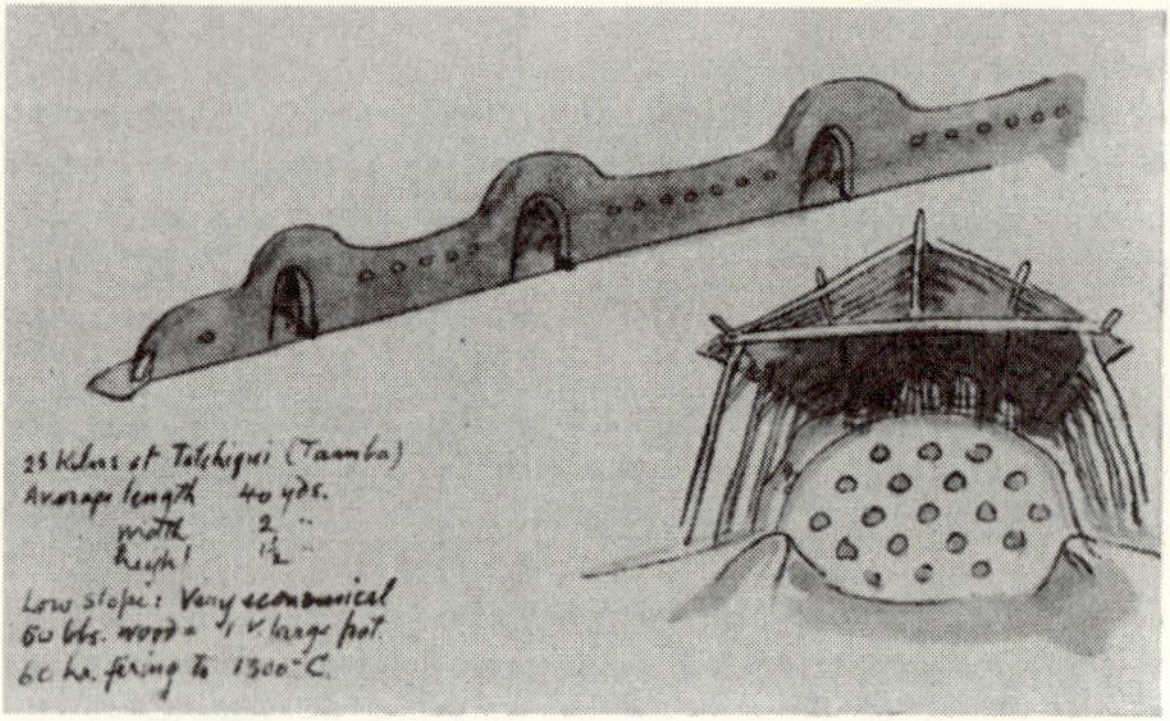

立杭窯（長さは平均120′、幅は平均６′、内部の高さは４$\frac{1}{2}$′、総計60時間、摂氏1300度まで）

たアサヒビールの社長で、民藝運動の支援者のひとりである。

濱田が益子に帰った。

次の日には二つのパーティーがあった。一つは民藝レストランで行われ、私たちに吟味してもらうための焼物の特別展覧会も開かれた。毎日新聞で三百人の聴衆に講演。濱田の代りには河井が話した。彼は誠実に、生き生きと、非常に上手に話をした。最後に、私たちは神戸を前に控えた丘の麓にある日本式旅館に行き、熱いお風呂に入った。

その次の日、私たち十五人は昔風の官庁バスに乗って、七十マイル奥の地方に行った。途中私たちは狭くて曲りくねった穴ぼこだらけの道を通り、雪線上の丘を越え、小さな三角形に積上げられた乾草の束のある段々畑に下り、村々を通り過ぎた。これらの村落は自動車の便などということをおよそ考慮せずに作られたもので、子供や犬はまるでひいてくれと言わんばかりに群がり、そしていつも間一髪の運命を逃れているのである。

　骨ががくがくになったころ、ついに私たちは切立った丘にはさまれた長い谷に辿り着き、丹波《たんば》の立杭《たちくい》の村に着いた。私たちがよろめきながら外へ出ると、たちまち役人や陶工たち、好奇心の強い、とくに子供たちに取囲まれた。そしてまた、紹介とか名刺の交換が始まった。それから家の中に案内され、ご馳走になった。出された食物は、後で気づいたことだが、上等の田舎の食物で、お餅もあった。それは、蒸した粘り気のある米を搗いただんごで、冷たいと消化しにくいが、焼いてふくれたのを醬油で食べると、とてもおいしい。

　その後で、私たちは窯や仕事場を見て回った。およそ二十五個ばかりの、朝鮮の窯のように非常に古い形をした登窯《のぼりがま》があった。ここは七百年の伝統をもっており、その伝統は比較的そこなわれていない。

　私たちに鑑定してもらうために、焼物がベランダに並べられた。ある仕事場で竹製の道具（図参照）を使って、白い曲線の紋をつけているのを見た。また二十四インチ以上の幅をもつ大きな火鉢に、まだ柔らかいうちに複雑なぎざぎざを刻んだり、細くのばした粘土を使って装飾を付けているのを見た。初めは自由で、きわめて焼物に合っていた

流描用の筒

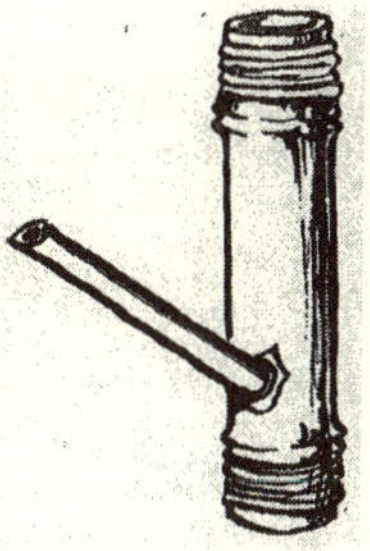

立杭の村

のが、錯綜したデザインと見世物精神によってすでに汚されてしまっている。

その後で、大きな部屋に案内された。そこには村の焼物作りの人々およそ百人が、私たちの批評を聞くために集っていた。私たちの中の三人がデザインと工藝性の保存について、彼らにとっては未知の生活のための新しい意匠を作る困難さについて、彼らの純粋な仕事に対して西欧で賞賛の声が高まってきているということについて話をした。

彼らはその話に注意深く耳を傾けていた。そして、自由に、熱心に質問を出した。それはおもに経済問題だったが、うなずいたり、了承の合図をしているところから察して、これらの問題については大体同意されたと思う。彼らはほんとうに私たちの話に耳を傾けていた。そして私に、ここへ来て彼らと仕事をしてほしいと懇望した。

東洋の古い秩序と西欧のそれとが、どこにも見られぬほどに重複しているここ日本では、可能性があると私は思った。みんなが必要としている手と機械との新しい総合がまず第一に行われるだろう。それには長い時間がかかるだろうし、大勢の人々の仕事となるだろうが、すでに幸先のよいスタートは切られたのだ。

おそくなり、非常に寒くなってから、私は城下町の篠山《ささやま》にある宿に着いた。

次の日は裕福な商人の家で半日を過ごし、古い丹波の陶器を民藝館用に、私用のを二個、半値で買った。京都に戻り、午前一時すぎに寝についた。非常に疲れた。

自動車に乗っているとき、河井がどじょうの民謡を教えてくれた。それは私の空想をかき立てた。詩的情感を他国語に翻訳することは絶望的なくらいむつかしいことを知っているが、この民謡を英語になおしてみた。

作業歌（青森県西津軽郡木造町）

春来れば田堰、小堰サ水コア出る、

どじょうッコ河鹿コアせア、喜んで〳〵、

海サはいったと思うベアネ。

Song of Lampreys

（a very small eel found in rice paddies）

When Spring flows through the Paddy laats

We hanker for the Sea,

夏来れば田堰、小堰サ温《ぬく》くなる、
どじょうッコ河鹿コアセア、喜んで〳〵、
湯コサはいったと思うベアネ。

Summer comes and heats the water
For our daily bath,

秋来れば野山、小山は赤くなる、
どじょうッコ河鹿コアセア、首出して〳〵、
山コア火事だと思うベアネ。

Autumn maples burn upon the hills
And warm our hearts,

冬来れば田堰、小堰サ薄氷《すがま》張る、
どじょうッコ河鹿コアセア、考えて〳〵、
天井コア張ったと思うベアネ。

Comes Winter once again with ice
To roof our house.

三月三十一日

「はと」号で帰京。一等切符が用意してあった。東京から離れること千マイル以上、十一日間の旅であったが、一銭の費用もかからなかった。

第三章　深まる印象

倉敷の町

四月九日

志賀（直哉）氏を訪ねるため、濱田、柳夫妻とともに熱海に出かけた。熱海はカプリのように、紺青の海におおいかぶさる。窓から流れ込む菜の花のほのかな香りに、私は長崎近辺の畑を思い出した。四十三年も前、私は長崎の畑で菜の花の香りをかいだことがあったが、それは京都での子供時代以来初めてのことだった。うなぎ屋で食事をしていると、俄雨《にわかあめ》が低い屋根や外の竹林や桜を打ち、ピンクの花びらのシャワーを地面に注いだ。四十年来の友人たちとの和やかな集り。彼らはおもに「白樺派」の人たちで、日本人の間では著名な人々だ。画家の梅原君、安井君、音楽家の柳兼子夫人、著作家の志賀、里見、武者小路、長与、柳、そして建築家の谷口君など。

食事のあと、二十名あまりの茶道改革の会員たちの集りが私たちの宿で開かれた。まず「濃茶《こいちゃ》」の席、次には「抹茶」。「濃茶」を飲んだのは、これが初めてだった。

濃茶は、茶会の一形式で、抹茶が濃厚に点《た》てられ客の手から手へと渡される。日本で、茶は大いに流行っているが、好ましくない時を迎えているので、改革が必要なのだ。しかし、それは、考え方や習慣の変化と文化の融合ということからして、簡単にできるものではあり得まい。古い儀式は硬直し過ぎていて、洋風になった暮しには容易に適合しない。だから柳博士は、多くの現代茶人の注目するところであるが、茶の堕落とアナクロニズムに対して、儀式の上からではなく、茶の原理の根本を説くことを実践しているのだ。

盛んな議論が交され、私たちはホテルに一泊した。出発するとき、民藝協会員の主人は一銭も受取らなかった。

茶会に関連して、私はとくに次のことを指摘しておきたい。戦争は、日本人への多くの人の心を固くさせるものだったが、実際は二重の不幸な出来事だった。人は多種多様で、日本人は、彼らの藝術や工藝に示されるがごとく、高度な感性を持ち、その技は世界的な価値を持つものだからだ。さらに彼らには、長年にわたって培われた〃見る眼〃がある。茶人たちは、趣味と教養の判定者であって、他のどの民族も至り得なかった美的評価の基準を定めたのである。

茶の宗匠

四百年ほどの間に、これらの洗練された知覚力の人たちは、階級を越えて、ほとんどクエーカー的静寂さで、茶を喫すべく集い、家に有るもの——焼物、書画、塗物、食物、花——の美と詩的内面性に接し、振舞と人との交わりそのものを楽しんだ。

そういうものから生まれた、翻訳し難い知覚の繊細な感じを表す語が、規準として浸透している。たとえば、厳しさ、高貴さ、温かさ、確

里見　弴

かさ、つつましさの組合された、まことの美の最高の質をいう「渋い」という形容は、日本では誰にでも判るのである。

それは、私たちが失った規準の外での、独自の注目すべき達成である。規準が、今の私たちのようにあまりにも私的だと、私たちは混乱させられる。

茶の規準が下落し、西洋工業主義の破壊的な影響のもとで、まったく俗悪なものに堕してさえいることは否定できない。しかし、文化は、その下降によってではなく、独自の生命力を与える秘められた知恵に対する、その根源への探究によって判断すべきである。

茶会で用いられる焼物——茶碗、茶入、水指など——を、私たちが評価し、査定し、展示することは、おそらく極めて困難だ。それらの美点は、たとえ虚飾で飾り立てたり、単なる模作であったりする時でも、しばしば粗っぽい外見の裏に隠されている。それらは、ギリシャの壺や近代のセーブルやマイセンやチェルシーの陶器からはるかにかけ離れており、最良のものは無自意識で、実際、仏教が無差異性と説く、固有の伝統で仕事をする陶工の、生得の性格からの魅力を発動させているのである。

それらは、何ものも永久にとは建てられない地震国で、陶工や良き素人によって作られた。そして茶室は、自然と、不規則、鋭厳、簡潔とが支配する岩の庭の、魅力ある人間的な鳥の巣のごとくだ。

茶人たちからこよなく讃えられた、日本の茶碗の原型の「大井戸」は、朝鮮の普通の安い飯碗であるが、日常平凡な背景から取上げられ、日本の最も高級で洗練された茶室に秘蔵された。その中でのみ、厳しい完璧さの平常素直な佇いに、このつつましい美しさが認められるのである。

私たち自身の陶器は、主として、ギリシア・ローマあるいはルネサンスの古典から流れ出て、シンメトリーの傾向を持っている。その観点からすれば、これら日本の陶器は、不相称（アシンメトリー）的と言えよう。焼物の価値の広い見地では、極東は西方と補い合い、釣合をとっているのだ。

武者小路実篤

再び私は谷口君と午後、今後二十年間の日本の生活や建築について話し合った。生活様式の西洋化の正気とは思えぬ流行は、やがて阻止されるだろうか。将来日本人は床《ゆか》の上や椅子の上で生活するつもりなのだろうか。二十年のうち

志賀直哉

には「畳敷き」の和室は今日の洋室の場合のように贅沢なものになってしまわないだろうか。近代的要求をみたすためには、日本式家屋の暖房には何が一番よいだろうか。

こういったことは大変むつかしい問題で、黒白をつけられないものだ。電気は木炭の代りとしては一番よいように思うが、しかしこれは大多数の人々にとっては非常に高価である。木炭にしても値段が高くなってきており、新しい住居にも、老朽化したのにも十分な暖房ではない。

驚いたことに、私が以前ためしたこと、つまり和室の床に足を入れる穴を作り、その上に卓袱台《ちゃぶだい》をのせる方法が、ある程度流行していることを偶然発見した。私は以前、数軒の家に住み、京都では商家にも住んだことがあったが、そこの家ではこの方法が使われていた。私は、四十二年前に最初の家で苦心してこれを完成した。しかし、この方法ではまだ背中が休まらない。これは私だけではなく、日本の何人かの友人たちにとっても同じように必要なことだ。

日本の北の寒い地方で、私は同じような装置を見た。「炬燵《こたつ》」と呼ばれるそれは、暖房に広く使われていた。床の穴には小さな火鉢《ひばち》が入れてあり、木組の枠に刺子のふとんが掛けてある。夜は家族がその回りに坐って、穴倉にいるように足だけでも暖めるのだ。私のは、テーブルをかぶせてあって、私たち外国人は、比較的快適に坐ることができた。私の日本の友人たちも同様にして、婦人がいつもするように、踵に組んだ足を乗せたり、足を組んだりして、同じ高さで坐っていた。

私たちのテーブルは、標準的な床の敷物と同じサイズ――六フィート×三フィート×三インチ――で、使わない時は、足を低くして床面から九インチ沈めることができた。

それから、これは全く当り前のことなのだが、多くの西欧風の改革が、正しく理解され取入れられていないことに私は気づいている。――熱い料理は冷たい皿に盛られてくるし、いまだ白くてふくれ上がったパンは、片面だけしか焼かずに平らに積重ねられて、どのパンもこんがりとした黄金色

梅原龍三郎

になるどころか、みんなフニャフニャになっている。

また、なんと英語の綴りと文法のお粗末なことだろう！　英文の公共標識で正確なものはほとんどない。そういう場合、人は外国人の助けを借りるとよいと考えるだろう。多くの日本人は、すぐに、自分の知らないことを知っていると思い込むのが実情なのだ。これまでに私は、海外で教育を受けたことのない日本人で、正確な英語を話したり、書いたりできる人にお目にかかったためしがない。それができる日本人に会えるのを期待するのみだ。私自身、日本語の読み書きを習ったことがないのだから、翻訳の正、不正を問わず、常に翻訳をありがたく思っている。なぜ日本語を勉強しなかったかと言えば、まず第一に、絵を描いたり焼物を作ったりする時間をさくのが惜しかったからであり、第二には、生来私は学生には向いていないからである。基本的な日本文を読むのに必要な二千の漢字を覚えるには、五年ほどもかかるのだ。

四月十五日

三越ギャラリーの乾山・光琳展で、訪問客や乾山会員たちと談笑しながら今日一日を過ごした。この派の現存後継者の富本と二人で、開会式に出たのである。初代乾山は二百十年前に歿した。私の師は六代乾山で、この会は、彼の死後三十年に開かれた、琳派の代表的作品の記念すべき展観である。展覧会には、私たちが借りてきたたくさんの出品物が陳列してあった。また数個の焼物、特に初代乾山の作と称されるものもあった。この作品については、私や友人たちは、ニセモノか、あるいはあまり有名でない乾山後世の弟子の作と考えている。

日本人の専門家にとっても、作品の鑑別は非常にむつかしい場合が多い。これは伝統的に受継がれた巧みな技能のためでもあるが、もっと深い理由としては、よい手本はよい手本として考えられ、模倣をする場合にも西欧流の個人主義的羞恥心に欠けていたためである。このような理由から、その作品固有の性格やその値打がしばしば信憑性への最上の指針となる。

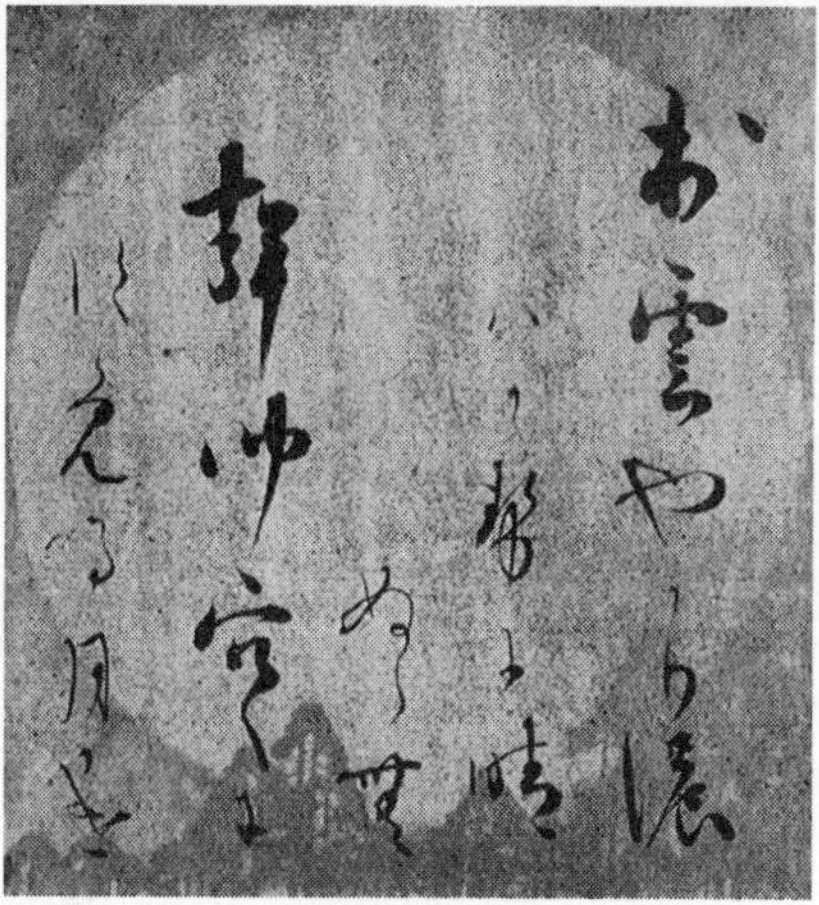

光悦書宗達絵色紙

宗達《そうたつ》の絵はすばらしいものだった。そして、すべての展示品は私に藝術の新しい牧草地を教えてくれた。それについて滞日中に本を編集したいと思っている。しかし、私はそれを光悦乾山流と呼ぶ。というのは、この真に日本的な藝術を十七世紀に生んだのは大光悦であり、十八世紀にみごとな活動で幕を引いたのは初代乾山であったからだ。光琳（乾山の長兄）は、彼の流派の名前（琳派）のもとに広く世間に知られているが、四人の藝術家の中では最も劣ると私は考えている。この考えには友人たち数人も同意した。光琳はすばらしく頭のよい人物だが人間的度量は比較的狭いほうだ。

四月十六日

産業工藝試験所（東京）を柳、濱田とともに訪問、講演をした。工業デザインの世界と工藝の世界とを二分している、深い亀裂に押しつぶされたような気持を抱いて、私たちは去った。

試験所の建物にも、その製作品にも、何一つとして感覚的に胸に訴えかけるものはなかった。これは海外においても同じようにあてはまる批評である。海外の場合にも、懸命になって埋めなければならない恐るべきギャップがあるが、とりわけ日本の場合は、進歩した機械製作と並んで、伝統的な工藝がこれほど豊かに受継がれている国は世界のどこにもないだけに、なおさらと言えよう。日本には二つの時代が重なり合っている。その上、真剣な現代工藝運動も、おそらくスカンディナヴィア地方をのぞけば世界のどこより盛んで、浸透している。だから、このような不必要なギャップを埋めるためには、手工藝家たちとの連繋をはかる必要があるわけで、このことは工業デザインの改良に努力する人たちにとって自明の理であると思う。
　私たちは欧州で新しいタイプの工業デザイナーが必要であることに気付き始めている。新しいタイプのデザイナーとは、内部から機械の世界を知るとともに、手工藝の世界を十分に知っている人でなければならない。日本もこの種の新しいタイプのデザイナーを適量だけ必要としている。だが同時に、その結果として生れるデザインが真に生きたものになり、そして西欧の流儀を内部から理解したものになるためには、これとは別の何物かを必要としている。それは、東西両様の生活への内面的理解である。

四月二十日

柳　悦孝君

　今日、民藝館中央の大広間で、沖縄織物に関する立派な本の著者で、最近事故死された田中俊雄氏に対する仏式慰霊祭が行われた。七十人あまりの近親者、沖縄出身者、日本民藝協会員が集った。故人の写真や戒名、花束、果物の供物を捧げた祭壇が部屋の片側に設けられてあり、私たちの友人である僧侶の浅野長量氏がお経をあげた。

六代尾形乾山

柳の甥の悦孝君が、静かに控え目に式の次第を進めた。田中氏の若い未亡人が歩み出て、まず柳、浅野氏、会衆一同にお辞儀をし、次に夫君の写真の前で焼香した。未亡人の次には故人の父君、母君、親戚、知人たちが続いた。

それがすむと、柳が故人の生涯やその仕事について話をした。次にふたりの沖縄出身の学者たちが故人の写真に向かって、あたかも生前の田中氏に対するがごとく、優しく、柔らかに話しかけた。私にも少し言葉をとの柳の依頼で、日本語でごく手短に次のようなことを話した。田中氏はその著作を通じて、いろいろな美のかたちを私たちに教えてくださった。現身《うつしみ》の彼は亡くなられても、残してゆかれたこの立派な仕事を通じて、田中氏はまだ生きておられるのだ。私たちはこの事実によって気持を慰めようではないか、と。

話がすんだあと、同じ部屋でお茶とお菓子の接待をうけ、沖縄民謡や踊りを鑑賞した。その民謡は彼がとくに愛していたもので、またその踊りは生前彼も一緒になって踊ったという。歌のメロディーは美しく、踊りはおどりやすく、優雅で生き生きとしていた。沖縄出身者たちは彼の写真に向かって「あなたはこうおっしゃいましたね」「あなたは、こんなことをなさいましたね」「あなたは、私たちを愛してくださった」「私たちは、あなたに感謝しています」と話しかけていた。

四月二十二日

一九三五年以来初めて濱田の益子へ。

十時半に上野駅で乾山の令嬢奈美さんと会い、以前私が描いた乾山先生の肖像、私が写した昔の私の生徒たちの写真、私の展覧会のとき写した妻の写真を返していただいた。生徒や妻たちは今ではもうすっかりお婆さんになってしまったから、この写真はおもしろいだけでなく、こういった時の流れを雄弁に物語る忘れ形見でもある。一九〇九年に、私は日暮里《にっぽり》(上野女学校)で彼女たちに英語を教えていたが、当時二十一歳の青二才だった私には、十六歳から十八歳の彼女たちが扱いにくい少女だったことを覚えている。

私たちを乗せた汽車は東京の北側の郊外を進んで行った。以前、日暮里は隅田川沿いの平野に作られた稲田に続いていたのだが、今では十マイル以上にわたるいかめしい煙突の林が、畑や乾草の小山にとって代ってしまった。これとは反対側の、東京から横浜までの二十マイルの道もまた同様である。

皆川マスさん

度々思うのだが、これらの背の高い、嫌な「木」の下に住んでいる人たちは、どんな生活をしているのだろう。それは、日本中に充満している、驚くほどたくさんのパチンコ屋の数を説明する上に一助となるかもしれない。そのことについてはあとで触れよう。

やがて田舎に入った。そこは大きな関東平野で、花を開いた菜の花の黄色が刺激的だった。二時間後には、四月だというのに上部にかなりの雪をいただいた一連の青い山脈《やまなみ》が現れた。

宇都宮では、加藤さんという美術商と、十四人の新聞記者や写真班の人たち、それに市庁の自動車が私を出迎えてくれた。私たち一行はうなぎ屋へ行って、十分に食べた。

私は、市庁の役人ともうひとりの人のために絵を描いてほしい、と頼まれた。そして、「もしお願いできたら」料理人にも描いてほしいとのこと

働く農夫

だった。
　それから益子まで二十二マイルを車で飛ばした。益子には、私たちが見つけ出した有名な最後の絵付師、八十歳の皆川マスさんがいる。彼女は、死ぬ前にもう一度会いたいという手紙を数ヵ月来よこしている。長屋門のある濱田の家では家族がみんなで待っていた。
　私たちはお茶を飲み、全く久しぶりに、お互いの目を見つめながら坐って話し合った。皆川さんは「私は去年、肺炎で、もうちょっとのことで死ぬところだったたよ。時は早くたつものだね」と述懐した。
　濱田の話では、彼女は過去数ヵ月のあいだに濱田のところを訪れた外国人たちをじっと見つめて、ひとりひとりに「あなたパーマさん？（彼女は私をバーナードに似て聞えたパーマと呼んでいる）」と言っていたそうだ。濱田はまた、天皇が訪問されたこと、皆川さんが濱田を魅惑させるやりかたについて語ってくれた。

私たちは厚い草葺屋根の古い建物や新しい建物を見てまわった。立派な、堅牢な建物だった。後側にある大きな農家を建てるには十六年もかかったが、まだ完全に出来上がっていない。仕事場は広々として、大きな新しい登窯があった。黒いそば粉で作ったマカロニ――おそば――のありあまるほどふんだんな夕食。――この地方はおそばで知られている。新築の家のすばらしい風呂。そして、その部屋で寝るためのすてきな蒲団。

益子を再び訪ねて、濱田や、成長した彼の家族たちに会い、拡張された仕事場――それは大きくて、気楽で、自然なところだ――を見たのはすばらしいことだった。

四月二十四日

帰京してから、夕方、バハイの集会に行った。出席者約十五人。主題はむつかしかった――神の概念とバハウラの世界平和への構想――。私は、会話のほぼ半分を聞きとり、時折それに加わることができた。私は、旅行以前よりもずっと強い信者になっている自分を発見した。

バハイの教義はキリスト教や仏教、あるいはその他の基本的な信仰を否定するものではなく、むしろ逆に、概念の統一の中でそれぞれの信仰を成就するものであって、この教義は全体的に言って、平和や人類社会の秩序への唯一の可能な基礎であると思う。長い過去をもつ現存宗教を現在の人類の要求にあてはめようとする場合、その宗教団体や個人には大きな責

益子の山水土瓶

任が課せられるように見える。と言うのは、これらの団体や個人は、宗教の偉大な始祖や、バハイの言う、神の啓示にくらべれば、ずっと権威や理解力が落ちるからである。バハイの教義は、人類の精神的発展について唯一の整然とした概念をもっているように、私は思う。

　バハイによれば、バハウラは彼の先輩たちよりも偉大ではないし、その本質においては彼らとなんら変るところはないが、彼が出現した時代は、人類の要求がその絶頂に達し、人類社会の完成に向かうために、没落と無秩序の世界を統一させる仕事が要求されていた時代であったという。

　この考えには私も賛成だ。人生、藝術について、とくに東洋と西洋との交流についての、私の考えや、理想の多くは、バハイの教えを通じて生れ出たもの、ないしは彼の教えによって確立されたものである。バハイ教の名前は、これらの伝記を読む人々にはあまり知られていないかもしれない。

　しかし、今から百年前、パレスタインのトルコの獄舎の中から、生命の意義についての教えが述べられて以来、バハウラと彼の教師モハメッド・アリの教えは、全世界にあまねく知れ渡ったのである。

私がいなかったこの十八年の間に日本に起った事柄について、私は絶えず考えさせられている。善であり、真であり、美であった多くのものが消え失せ、いまやその反対のものが存在している。私が経験し、感じ理解したほんのちょっとの事柄についてすら、東洋に一度も来たことのない人々にはどんな風に話したらよいものだろう。混合は大規模に行われ、変遷は非常な早さで進み、風雅なおもむきなどが珍しくなってしまった。外から見た大都市は醜く喧騒《けんそう》で卑俗だ。

しかし、その内側には、すばらしくゆかしい古い生活をひそめている。そして、田舎は都市と比較にならないほど美しい。旅で、信じられぬほど我慢強い畑地と農夫たち、ひたむきな愛情と労苦に色どられた激しい手仕事に出会い、私は驚嘆する。

日本は真の藝術の国だ。それは血液にも時間にも室内にもある。この感受性、魂を養う五官を通じての感得、味わい、色彩、秘められた魅力。それは長い洗練の歴史を通じて生み出されたものであり、ここでは藝術が、外国の藝術すらもが、生活の一部として適切な位置に存在している。私はあちこちの友達の家で、ルノアールや、ルオーやマチスの原画を見た。それらは評価鑑賞されているのだ。

だが、私に我慢できないのは、今日の日本人が、音、それも無用の人造音に対して全く無感覚なことだ。商品の宣伝を競い合うショッピング・センターのラウド・スピーカーの音が、宣伝カーから響いてくる。プラット・フォームで、電車、汽船の中で、商店、料理屋、タクシーの中でも逃れられぬ音楽が鳴っている。これらの音楽は東洋や西洋の音楽で、たまにはよいものもあるが、たいていはいちばん下品なセンチメンタルな、麻酔薬的なものばかりだ。

また、こんなことよりもっと大事なことは、教養があり、鋭敏な神経の持主である人々の家庭ですら、ひっきりなしにつけているラジオの誤った聞き方である。これに対して、誰ひとりとして抗議する者はいないようだ。西欧では全く当り前のことと考えられている個人主義、個人の自由、権利が、仏教的寛容を持ち、権力に対する我慢強い忍従に堪えてきたこの国では、いまだに奇妙なものとされている、と私には思える。権力とは、つまり、両親と家族の権力、深くしみついた風俗と伝統の権力、強大な警察と軍隊の権力、そして政府の権力である。

明治維新以来、そして日本が孤立主義を放擲《ほうてき》して以来の八十年余りの駆足《かけあし》の年月の間に、それらの権力はすべて変革されてきた。しかし、力の政策、経済的支配による西欧の侵略を免かれるために、かつて敗れたことのない貧しい小島国の人々が必要とした努力、精力、決意の認識が、西欧は乏しかったのである。他の国々、太平洋の諸島や、インド、中国の運命が、自分にもふりかかってきかねないことは明らかであった。日本は危険きわまりない速度で国内を整備し、若い、すぐれた人々に、あらゆる事柄――兵器、造船、科学、工業、教育、藝術、宗教――を勉強させるべく、彼らを西欧へ送り出した。こうして身につけた力で、日本はまず清国を、次にはロシアを破ったのである。

その後「新しい酒」は軍国主義者の頭《かしら》に受継がれた。彼らは日本人が多民族の中の一民族ではなく、ドイツ民族と同じく、優秀民族だと宣言した。かくて、第二次世界大戦、敗戦、そして今日の内的敗北の状態となったのである。人びとがそのことをもっとよく理解するようになれば、許すことができよう。"Tout comprendre est Tout Pardonner."「理解するということは、許すことだ」この言葉は、安易に肩をすくめて見せるような態度を意味するのではなく、時期がくれば、つつましく、謙虚に、進んで助けの手を差し伸べようとする態度を表わしているのだ。

アメリカ人をも含めて、外国人に対する感情は友好的である。アメリカ兵が乱暴を働いた事件が新聞には始終出ているのだが、私は非友好的な傾向を今までに見たことがない。それどころか、GIと手に手を組んで、東京の町をぶらついている日本娘を何度となく見かけた。

私の知っていた日本では、誰も表《おもて》で女性に触れる者などいなかったから、最初にその状景を見たときは、不快で道行く人たちの顔の反応をうかがったのだが、非難する気配のないのに驚いた。いやもっと驚いたのは、若い日本人男女がおおっぴらに手を組んで歩いていることだった。長い目で見れば、多分これは悪いことではなく、変化の烈しさ速さを知らせるのに役立つだろう。

そして、私は、予想していた以上にアメリカ占領軍から好もしい印象を持たされたことを、つけ加えておきたい。総じて、逆の場合――日本が勝った場合よりも、権力の支配ははるかに軽く、分別あるものであったし、日本人はそれを知っている。彼らは、アメリカ人が〝子供っぽく〟あるいは若くて、歴史的文化的見地から、そんなに驚くに当らない、と言っているのだ。アメリカ人たちは寛大なばかりでなく、兵卒でも、日本人の生活様式やその文化的価値を意外なほど受入れることができている、ということが明らかに認められる。

日本人はかつて誇りに満ちた、不敗の民であった。そして京都以外の日本の大都市や町は焼夷弾攻撃で焼け落ちてしまった。これらの事実を考え合せると、起上がって塵を払い、眉を上げて「しかたがない」と言いながら非武装再建に努める日本人の態度は、私には驚異だ。このような気持は全くほんとうのもので、広範囲に広まっている。私は、「私たちが勝っていたら、事態はもっと悪くなっていたでしょうよ」という感想を数回耳にしたことがある。

日本の将来は不安定である。過剰人口を収容する場所もなく、旅客機のように、アメリカと中国とソ連の間を乗り回している。かけ離れた白人優越主義をもって、「それなら、日本は人口制限をしたらよいだろう」と言い放つような連中に、私は嫌悪と忿懣《ふんまん》の情を禁ずることができない。

その評言は浅薄で自己中心的だ。日本はその人口を養うために輸出しなければならないが、主な市場の中国もロシアも閉ざされており、我々の取引は日本と対立する。日本はどうすればいいか？　その前途は？　今はアメリカの恵与と軍事によって生きている。皮肉なことに、日本人の意思に反して、再軍備へと押しやっているのは我々なのだ。

男の子の祭、益子

わが政治家たちが、この基本的な問題を直視する予見力と賢明さを持っていたら、パールハーバーのことは起らなかっただろう。

四月二十九日

夜、東京の銀座界隈をひとりでぶらぶらと歩き回った。そして、孤独感と舗道を歩く疲労感を感じた。

たくさんのバー、料理屋、ナイト・クラブ。変りやすい空を駆けて行く満月。ネオン・サイン、人々の群、ひっきりなしに鳴る自動車の警笛、凹凸の舗道。

突然私は女の人の友達――気持をともに分ち合い、男性の気持を和らげ、話し合い、ともにくつろぐそんな女友達――がいないことをとてもさびしく思った。

急な変化を嫌う日本の社会は、なお男性中心で、日本人と西洋人とを問わず、そういう人たちを救う鎮痛剤は用意されておらず、人々は藝者の魅力で癒されるのである。たとえ、誰かの家庭と親密な格別の間柄になっても、その家の妻や娘を友とするのは極めて異常なことで、とくに外国人の場合には、西洋の妻が夫の友人と普通に交際するようなわけにはいかないのだ。一般の女性は、教育もすべての見解も夫と等しいものではない。女の領分はつねに家にある。

棟方志功君

そして、日本の女性はまだ牢屋にいるのだ、というような性急な結論に飛ぶ西洋の批評は、他方、日本で一番幸せそうなのは女と子供であって、男ではないことに、気付かされねばならない。

この外見上の変則さは、仏教と儒教がともに背景にある、女性生来の慎しみ深さ、謙遜さ、従順さに由来する暗黙の期待、ということで説明できる、と私は信じている。

男の世界は外、女のそれは内にあるということ、それが疑問視されるようになったのは、ごく最近のことにすぎない。

四月三十日

多摩川に住んでいる濱田の親戚を訪ねるため、柳、濱田、私は電車に乗って出かけた。濱田家は多摩川辺の出身で、農民の家系だ。私たちは彼らから、ぜひ一度、川の魚釣を見にこないかと招待されていた。私はおかげで数枚の絵を描くことができ、親戚の人々と一緒に、生きのよい小魚の料理を賞味した。

この日、空は灰色に荒れ狂っていた。風は暴風のようにはげしくなって、間もなく篠《しの》つくような強い雨が降り出した。私たちは家の中に閉じこもったが、簡素な家の中で、あらゆるものががたがたと音を立てた。外では竹の葉が近くの藁屋根の上ではげしく揺れ動いていた。

それで、一行に加わったすぐれた版画家の棟方君と私は、それぞれ六枚ずつ、薄くて古い、よく吸い取る紙に絵を描いた。彼のように、自然にすらすらと絵筆を動かし、彼ほどの速さで考えを紙の上に表現する人を私は見たことがない。前もって考えたり、計画を立てたりすることなく、彼の筆は、熱情と直観を発現して、白い紙の上で燃えゆらぐように動くのである。彼の額の上には汗が光り、時々紙の上に落ちて、濡れた黒と灰色の画面に混り合った。

私たちは生きのよい川魚を、刺身や煮魚やバターいためでご馳走になった。みんなおいしかった！

料理人が出て来て、一座の仲間入りをした。棟方君の版画が、ワシントンのコルコラン画廊でいま開かれている展覧会に濱田の焼物と一緒に出品されている。棟方君は現代日本の一流藝術家のひとりである。

五月一日　メーデー

私たちは「たくみ」に集った。ものすごくたくさんの人の群、数千人の警官、救急車等々の中を、やっとのことで私ひとりが「たくみ」に着いた。しかし、今年は、共産主義者と反対者の間で去年のように悪い事件は起らなかった。共産主義は、ここ日本では英国よりも大きな勢力をもっているが、現在の段階ではそれは真の危険物ではない——というのが私の全体的印象である。

私たちは夕食にそばを食べ、それからマリアン・アンダーソンの歌を聞きに行った。東京でいちばん大きな音楽堂はいっぱいだった。奥まったバルコニーの真ん中にある私たちの席は一枚一ポンド——三千五百席共通の料金——だった。ところが、座席の間の狭い通路にも補助席がおかれ、三人ずつ坐れるようになっていた。そのためよくあることだが、私は足の置場に困った。曲目はイギリス民謡、シューベルトの作品、それに黒人霊歌。彼女はすぐれた感受性をもち、真摯であり、立派な声楽家である。

西欧音楽の鑑賞が広く行きわたっていることは驚くばかりだ。友人たちはみな良いレコードを持っているし、ラジオは田舎の農家にも備えられている。私はしばしば階下の部屋で歌う柳兼子さんのお弟子さんたちの声にうっとり聴きほれることがある。我々西欧人が東洋藝術を同様に評価するようになるまでは、世界平和に対する情操的人間的な基礎、ないしは人間性の調和が、その深さにおいて欠けるところがあるだろう、と私は考えた。

コンサートが終ると、数百の人々がこの黒人歌手の楽屋に行こうとしていた。

五月三日

今日私は、乾山先生の娘の奈美さんと山の手線の鶯谷《うぐいすだに》駅で会う約束をしてあった。彼女は自動車でやって来たが、驚いたことにその車は後藤牧師の車だった。

奈美さんと彼女の妹はクリスチャンで、亡くなる前の晩年の乾山に洗礼を授けたのは後藤氏の亡兄だった。奈美さんは、クリスチャンの親切心が老乾山の心をとらえ、ついには自分の心をもとらえたのだと言った。後藤牧師の教会堂は焼けたが、新しいどっしりした会堂が建てられた。牧師はその装飾について私の意見を求めたので、「外観はあたたかい感じにして、装飾は簡素に」と答えた。彼は私たちを彼の「茶室」——離れ——に案内してくれた。

この茶室は尖塔の右側にあり、尖塔からは、私が一九〇九年に初めて英語を教えた上野高女のちょうどその一帯を見下ろすことができた。

その後で、私たちは上野桜木町辺をぶらぶらと散歩し、一九〇九年に二百ポンドもかからずに建てた古い家の前を通った。昔と変らぬ家々を見るにつけ、あちこちで思い出がとめどもなく溢れ出した。だが、あらゆる物は私が覚えているよりはずっと狭く、小さくなっていた。音楽学校（現東京藝大音楽学部）も全く昔と同じだったが、丈の高い杉の木はみんななくなってしまい、その代りに公園には大きな建物が建っていた。中でも、擬似日本風の新博物館がいちばん大きかった。

私たちは団子坂を下りて、奈美さんが八畳一間を借りているアパートへ行った。彼女はお茶を出してくれ、私たちは「だんご」（米の粉を小さくまるめたもの）を食べた。私は結婚直後、妻のミュリエルと一緒にだんごを買ったことを思い出した。その後で、奈美さんは日本の棒絵の具を見せて、その使い方を説明してくれた。私たちは彼女の父や家族のこと、またどんな風にして乾山が陶工になったのかということ、彼の師の乾也《けんや》のこと、彼女の祖父下岡蓮杖《しもおかれんじょう》——日本で最初の写真師——について語り合った。

それから不忍池《しのばずのいけ》を廻って広小路へ出、小さなそば屋を見つけた。奈美さんはそのそば屋とは顔見知りだった。外国人の客に不慣れなそこの若い主人は、私が正しい名称を使ってそばを注文するのでびっくりしていた。

今日の午後は楽しかった。奈美さんも楽しかっただろうと思う。彼女は、日本であまり見られぬひとりぼっちの暮しだ。どうして結婚しないのか知らないが、彼女はそれで満足しているように見える。彼女は、良い、親切な、私心のない人だ。私たちは、私が何枚か絵を描いてしまったら、また会うことを決めた。

五月六日

中国料理の夕食がすんでから、チャペル・センターで開かれる英会話学生の会合に行った。私は新しい世代の考えを聞くために行ったのだが、学生たちは話をしてくれと求めた。そこで私は、戦後何が学生たちのいちばん大きな問題であり、希望であったかと尋ねた。彼らの英語は上手だった。彼らは自由に、聡明に話をした。生きることについて、住む部屋について、平和について。かつては彼らをとらえていた社会的因襲が我慢ならないこと。宗教は形式として考えるということ、神は創造主とは考えないが、神はすべてのものの中にある精髄であり、究極の責任は人間にあるということについて。

ここではロシアの唯物主義を擁護する者はいず、むしろ、デモクラシーへの傾向が見られた。彼らは軍国主義に対して正真正銘の憎悪を抱いており、過去の絆《きずな》から逃れ出る唯一の方法として、戦争に負けたことを喜んでさえいた。個人的にせよ、政治的にせよ、また国家的なものであるにせよ、自我中心主義に対する嫌悪感——だが、これらのものがいかにして行動の統一に形成され得るかということについて、漠然とした考えしかないのには驚かされた。

五月十四日

濱田、柳とともに再び三百五十マイル離れた岡山へ。岡山では大原（総一郎）氏と彼の自動車が私たちを出迎えて、彼の町倉敷へ伴ってくれた。

盛沢山な一日だった。

夕刻、大原美術館はおよそ三百人の聴衆でいっぱいになった。私たちの講演に先立って、大原氏は心からの感激的な賛辞を私に贈ってくれた。そして、戦雲が広がり出して私たちがデヴォンシャーのダーティントン・ホールで別れるとき、彼に言ったこと——私は忘れていたが——を彼は話した。それは、日本は負けるかもしれない、と言う意味のことだった。そのとき彼は、この私の言葉を本気にしないと答えたのだった。

大原氏は、非常に教養のある有能な人だ。彼はヒューマニストであり、藝術を理解し、そして立派な事業家でもある。彼は、大きなレーヨン工場を経営し、日本の指導的実業家のひとりである。彼の父は大原美術館を創設したが、彼もまた四つの「蔵」（昔式の防火倉庫）をもつ倉敷民藝館を建てた。この二つの館は非常に良い。大原美術館では、セザンヌ、ゴッホ、ロートレック、ルオー、ピカソ、セガンティーニなどフランス印象派の、またエル・グ

妙　義　山

レコのすばらしい絵を楽しむことができ、民藝館には、東京の民藝館以外の最良の工藝コレクションがある。

　倉敷の町は爆撃をまぬかれたので、町は生き生きとしており、「蔵」型の堅牢な建物がたくさんある。私たちは町でも古くからの地域を通り抜けて、静かで体裁のよい店の後側に十四以上の蔵を持つ、ある呉服屋を訪問した。

　店の主人は家の中をくまなく案内してくれたうえ竹藪に囲まれた、離れにある茶室を見せてくれた。そこの床の間に、濱田の花瓶があるのが目に入った。

　また私たちが泊っている大原氏の立派な邸や家々に戻って、宗達や木米《もくべい》、玉堂、大雅堂など、徳川期のすぐれた画家たちの絵を見た。

五月十六日

私たちは、自動車で岡山へ出て、数年前の私の焼物や絵が陳列されている展覧会を見に行った。私の好きな、水彩の大きな妙義山の絵もあったが、後悔しているような作品に出くわすこともしばしばだった。

その後で、フィルムやスライドを使って三人組合せの講演をした。市長や市吏たちも一緒の晩餐。たくさんの講話とおしゃべり――一日にしてはあまりに多すぎる。日本式旅館の夜。とても疲れた。

五月十八日

頭上にひばり鳴き、
つばめがふたたび巣を作る。
松の木にせみが鳴き、
畑には小麦が色づく。
時は飛び去る。
昨日西瓜を食べて、

Larks overhead,
Swallows building again,
Semi (cicadae) crying on the pine,
Wheat yellowing in the fields,
Time flying past.
We ate watermelons yesterday,

夏はすでに英国より暑い。 And it is already hotter than our English summer.

五月十九日

私たち一行――旧友の民藝館の館長外村君も一緒――は、自動車で三十マイル奥へはいった矢掛にいって、二百年もたった家に泊った。柳と私は昔封建大名が使った一段床の高い部屋で寝た。岡山県で過ごしたここ数日間というものは、まるで自分たちが封建大名のように扱われた。

外村吉之介

ここかしこで、土地のいちばん上等なものを与えられ、あたたかい気持と比類のない厚遇を受けた。私たちは町をひと巡りし、曲りくねった川を渡り、丘に登って、徳川時代に作られたほれぼれとするような町を見下ろし、私はそこで数枚絵を描いた。

見なれない建築というものは、建物の細部に目を惹きつけられるものだ。だから、他の人たちがゆっくり見て歩いている時でも、五分か十分のこま切れの時間でしか、それを描く自由を与えられない。

私は、言わば生来の技とも言える堅いペンの絵と、外国人アマチュアの技の、柔らかい筆と水を吸う紙の絵――墨はその上ににじんで広がる――の間で、中ぶらりんとなっている状

古い矢掛の倉

態だ。

五月二十一日

倉敷へ戻り、小さな陶房を訪問、そこで、不慣れな粘土と轆轤を使って数時間仕事をした。大勢の人が見ていて、私は手先も膝も不器用なことを痛感した。陶工たちはいつでも手伝ってくれたが、伝統のない形や模様には全く見当もつかないことが、はっきりと見られた。たいていのところで、私は、濱田や富本の、それに私自身の影響さえもが半消化であらわれているのを発見した。

倉敷市長・倉敷協同組合招待の晩餐会に招かれた。町や県の印象について話をしてほしいとのことだったので、柳と一緒にその特色を称賛し、都市計画について英国で私たちがおこなってきたことを述べて、それによってこの特色が保存されるよう懇望した。これには長い時間がかかるということを判ってもらうよう努めた。私たちからも市長たちに対して、大原公共図書館の設立に協力してほしい、今ある三つの美術館の前を流れる川が臭いから排水工事をしてほしい、バイパスを作ってほしい、騒音と、おびただしい広告に対してなんらかの規制をしてほしい、などのことを注文した。彼らは非常によくそれらの注文を理解してくれた。おそらく倉敷は、県の中でもいちばん文化的な街になることだろう。

晩餐には七面鳥の蒸焼が出た！　大原家で出された食事も、たいへんすばらしいものだったが、田舎の町でそれぞれに七面鳥が出たのには驚かされた。日本には七面鳥は少なく、料理するオーブンもほとんどないのに、伝統のない食物が作られるのだ。

外村家で晩くまで映画を見る。武内氏宅でもすばらしい食事をいただき、彼の家に一泊した。彼は、はるばる岡山から料理人と手伝いの人ふたりを呼寄せ、私たちの目の前で新鮮な「すし」を握らせた。日本人はみんな「おすし」を喜ぶが、私たちの偏見はなかなか強く、多くの英国の読者には冷たい生の魚肉などとてものことだろう。しかし、私は保証するが、すしはしゃけの干物（燻製）ほどには生臭いものではないし、かきのように、西欧人の嗜好に馴れにくいものではない。すしというのは、骨をとったいろんな種類の新鮮な魚の塩気のある薄い切身や、えびや海苔、ときにはオムレツなどで、冷たい御飯を、器用に食欲をそそるようにくるんだもので、大きさは口にほおばるには少し大きいくらいのものである。そして、たねは絶対に新しくなければいけないのだ。

この章を二つの滑稽な話――こういうものはいつも忘れてしまうので――で終るとしよう。

年配のある日本人教授が初めて外国旅行をした時の出来事。彼は英国汽船の食堂でひとりのイギリスの老婦人と小さいテーブルを前に向かい合って腰をかけた。彼は英語を話せない上に、ヨーロッパの習慣も知らない。そこで彼は、その老婦人のすることを注意深くまねることに決めた。

食事が終りに近づくまでは何事もなく、万事うまく行った。ところが、その老婦人がいっぱいのミルクを注文したので、老教授も同じものを注文した。彼は、老婦人がパンをちぎってミルクの中に入れたので、その通りにまねた。ところが老婦人は、なんとそれを船にいた猫に投げてやった！

日本人はいまだに金歯が好きである。四十年も前のことだが、効果が上がるように歯の半分に金歯を慎重にはめこんでいる人を私はしばしば見かけたものだ。そう、犬の歯を二本抜いて、そこに金歯をはめてやった男の名を聞かされたことがあった。

第四章　山陰・山陽の旅

鳥取砂丘

四国の海岸

五月二十二日

大原家の人々や倉敷のよき友人たち皆に別れを告げる。自動車で岡山へ出て、そこから渡船に乗って瀬戸内海を横切り、四国（大きな島）の高松に到着。そこで私たちは知事の久松氏と一緒に公開講演をした。彼は明治維新以前には、おそらく封建領主であったに違いない。教養のある魅力的な人物で、五年間の滞英中には、コーンウォール、アイルランド、スコットランド地方を旅行したことがある。

講演が終ってから、すばらしい晩餐会が開かれ、役人、藝術家、陶工たちが出席した。一九二〇年に私が家族と賀茂丸で帰英するとき船医だった西村氏の姿も見えて、驚き喜んだ。私たちは大学や、大きなミッション系の高等学校でも講演をした。

次の朝、私たちは市の公会堂に行き、土地の民藝品の見本を見せてもらい、およそ三十人あまりの役人たちと一緒にそれを論議した。それから自動車で十マイルほど離れた小さな

瀬戸内海

砥部《とべ》の町まで行った。この町にはおよそ十六個の窯があり、三百五十人の陶工たちがよい伝統の最後のものを守って仕事をしている。私たちは五つの手仕事場と、電気による磁器工場を見た。粘土や窯は非常に上等だったが、どこに行っても見られるように、デザインの泉は全く枯渇してしまっているのがはっきりと感じられた。同化力は消えうせ、美的混乱が支配していた。

私たちは、並べられた三十個から四十個の新古の見本を前にして、問題を率直に論じ合った。知事が私たちの意見を聞きにやって来た。ある若い個人陶工が、優秀な古い伝統に忠実であれという私たちの忠告は束縛だ、と言って抗議した。そこで柳と私は、それぞれの言い方でこのように答えた。「謙譲におなりなさい。無謀な試みは消化不良という結果を示しているだけです。あなたが理解でき、感得できるときにだけ、新しいことを始めなさい。どんな国ででも、ほんの少数の人たちだけが、この種の自然な創造能力をもっているものです」と。

瀬戸内海

西洋の暮しの経験のない、あるいは乏しい人たちによって作られた洋風の新しいデザインは、ほとんどが死産になってしまう。もし私たちが、西洋で、ほんとに日本人に使えるデザインをしなければならないとしたら、その不似合な結果を思って、ぞっとする。

松山へ帰る途中、私たちは二十五分間にわたりラジオ放送をした。ホテルへ戻り、風呂、夕飯の後、ベッドにはいった。

五月二十五日

久松氏に感謝の気持を伝えるため彼の家を訪問、別れを告げる。私たちは久松氏が提供してくれた車で、四国の海岸沿いの道を小さな港まで五十マイルほどドライブした。気持の良い道が、明るい陽の射す砂地の小さな湾の内外に走り、岩の多い松のたくさん植わった岬《みさき》の間を縫っている。静かで透明な海を見下ろす料理屋——海抜三百メートルの高地にある——で昼食をとった。端午の節句に使われた紙の鯉のぼりが、田圃《たんぼ》や漁村の上で泳いでいた。

今治《いまばり》から船に乗り、速い潮の流れをわけ、円錐形の無数の島々の間をめぐり、二時間かかって瀬戸内海を横断した。大小の島々の小さな松の間には真っ赤なつつじが咲いていた。三十度くらいの斜面に植えられた帯状の松林のあたりまで、島々の土地は一段ごとに整然と耕されていたが、あるところでは灰色の岩で段になっている。下に稲、それから麦、果樹、こんもりした茶畑、白い羽毛のような除虫菊——これは駆虫粉剤の原料として大量に輸出されている——と、段々畑に順々に植えられている。これらの植物の形や色が繰り広げる絶え間ない変化に、私は吸込まれるような興味を感じた。そして、簡単な絵以上のものを描けないのが、なんとしても残念だった。

本焼きピッチャー

こんどの旅行だけでなく、これまでにもあったことだが、大きな農家や数々の寺院が荒廃しているのが目についた。アメリカ進駐軍は、一方では反動主義者を、他方では共産主義者に反撃を加えるためさまざまな追放策を講じたが、現在までのところこれらの取締規則のほとんどが解除されていない。不安感がまだ明瞭に残っているのはどうしたわけなのか、私にはよく判らないが、その結果のあるものは災害的である。土地は地主や寺院から没収されて、小農たちに分け与えられた。そして、彼らには単に名ばかりのわずかな保証金が支払われたようだ。このために、私が見たような荒廃が生じたのである。

賢明なことに皇族一家は存続はしているが、剝ぎ取られ、他の貴族たちの称号はすべて完全に取上げられて、代りに地位を占めたのは金持たちだけだった。これは中世的風習からのすばやい飛躍だった。我々の場合、こういうことにはもっと長い年月がかかったし、その変遷ももっと順調に行われた。戦後の日本における混乱状態の多くは、貴族社会の原則と歴史的に結びついて長い間に培われた制度の破壊に原因があるように思われる。

若い世代の学生たちは自分たちの歴史的遺産について知識も興味も全然持合せていないように見受けられる。それどころか彼らは、古典はもちろんのこと、四、五十年前の優秀作品を読むことすらもできないのである。というのは、学校で教えられる漢字の数が千七百五十字という不十分な数に減らされてしまったからだ。だがこのことは、完全にアメリカの圧力によるわけではない。しかし、進駐軍は神道教育を禁じ、キリスト教を奨励し、仏教を阻止した。これはおそらく神道と仏教が世間では非常に交り合ったものになっており、神道が歪曲され、軍国主義者の支柱として用いられたことによるものだろう。

　しかし、柔かい粘土を早まって型からはずすと、ぐにゃぐにゃの形にならないものを手にすることになろう。日本における戦後の世代のいくつかの挙動は、ちょうどこれに似た印象を与える。実際、アメリカ人は、信教の自由と平等、教堂と国家の分離を、全く正しく強いたのだが、それは固有の宗教の土地と収入を奪うことになって、安定を欠く結果を招いたのである。

高梁の渓谷

五月二十六日

　急行列車に四時間乗って、日本の片側の島根県の松江に着いた。ここにもまだ小さな段々畑が見受けられる。多すぎる人と、小さすぎる国土。灰色の素焼の屋根瓦は、釉薬のかかった茶色の瓦に代った。この瓦は石見の温泉津《ゆのつ》で作られるもので、そこへは十八年も前に、陶工の船木君と一緒に行ったことがある。あれはまだ戦争前のことだったが、私たちの乗っていた二等車の中で起った出来事を、今も覚えている。ひとりの男が入って来て、私に向かい日本語で横柄に「お前はだれだ？　ここで何をしている？」と詰問した。私はとっさに、この男は秘密警察の者だなと思った。というのは、一九三五年当時、日本はすでに戦争に対して神経をとがらしていたのである。私が静かに「あなたは、どなたです」と聞き返すと、その男は「警察の者だ」と答えた。そこで船木君が間に入っていろいろ説明をしてくれたが、彼はその後も無礼なことをしたあげく、やっと出て行った。

同じ車室にふたりの老紳士がいたが、彼らはひとりずつ別々にやって来て、お辞儀をして名刺を差出し、特高の無礼な振舞に対して私に詫びた。そして「私たちもまた、こういうことを我慢しなければならないのです。どうぞお怒りにならないでください」と言った。

五月三十日

およそ五十人ばかりの地方の工藝家と運動の支持者たちの大会。今日の民藝協会の現状、民藝協会には生き生きとした刺激が必要であることについて全体の認識を深めること、日本人の日常の求めにもっと緊密に結び付くことなどについて、徹底的な討論が行われた。しかし、この最後の問題は、すでに記したように、深く根を下ろした劣等感によってますます汚されてしまった大衆の単なる要求とは全く違ったことなのだ。このことは、他の何にも増して、西欧文明に対する向う見ずな模倣の真因であるように思われる。個人のこのような態度が、時に会えば速やかに傲慢な振舞に逆転するということを、あらゆる心理学者は説明している。

このことは、全体として日本人に、あるいは、とにかく刀や権力をもった人々、ないしは歴史的に従属的な社会にいた人々に対しても、ある程度あてはまるように思われる。マグナ・カルタは非常に遠い過去のものなので、我々は、日本がこれまでに経験したものよりも、もっと大きな個人的自由のために数世紀にわたって戦ったことを、とかく忘れがちだ。このことは、日本の日常生活の中で、実に多くの形をとって現われている。そして、その一つのものが、見境《みさかい》のない大衆の要求なのである。

ラフカディオ・ハーンのいた松江やその近くで、古い友人たちのほとんど全部に会えたのはなんという心温まることだろう。陶工の船木君の髪は白くなり、彼の両親や最初の奥さんはすでに亡くなられた。だが、彼の息子の研志君は最も有望視されている青年工藝家のひとりであり、鉛釉の絞描の手法によって何か新鮮なものを生み出すほどになっている。

船木研兒　水注

宍道湖《しんじこ》の岸辺にある、船木君の工房への階段を登っているとき、まだつぼんだままの竹のやわらかい若葉が、縹渺と広がる平たい湖面や、彼方の丘の上に傾きかかっているのが目に映った。私は

宍　道　湖

その風景を絵にかけるようにしっかりと心に刻みつけておいた（二週間のうちに私はこの決心を実行したが、線の純粋さはもうすでに変化してしまって、葉っぱは羽毛のようになった）。五日間は雲の影が走るように過ぎて行った。

そして、布志名の船木窯の隣にある丸三陶器製作所や、湯町の福間陶房で、十二人の熟練陶工たちの手助けを得て、百枚以上の大皿や中皿に絞描の手法で装飾を施したり、約二百五十個の小さな品を作ったりした。私が原型を轆轤にかけると、びっくりするほど協力的な助手たちがそれを複製してくれ、私も装飾を施した。これらの助手たちの中には、朝の八時前から仕事に精出すひとりの青年がいつもまじっていた。彼は明方に起出して、誠実な若い仏教徒たちが経営しているある小さな共同陶器製作所から、十八マイルの道を自転車と汽車に乗ってここへやって来るのである。

これらの若い仏教徒たちは、農夫として畑にいるときも、陶工として粘土を扱っているときも、すべて働くことが自分たちの使命の一端であると考えている。彼らは自分たちを出西同志会と呼び、美術家ぶったふりなどはしない。私は、彼らの熱心さと、直面している問題に対して示す真摯さとに、深く打たれた。その問題というのは、正しい製作の伝統、とくに、形式や型の伝統から逸脱せずによい焼物を作ることである。彼らには美術家的陶藝家たちがほとんど持合せていない謙譲さがあるが、確信と指導性に欠けている。ひとりがどれだけ他の人を補えるかは疑問だ。数世代にわたって経験の上に築き上げられた行動の共同の真理——これを伝統と呼ぶ——を欠いていると、私は考える。私たちが当てにできる唯一の期待は、創造力をもった美術家が時々出現することである。普通人の小さな創造力というものは、確信に満ちた健全な社会によって見定められ、力を注がれ、ときには、すばらしい役割を発揮することができる。しかし、指導力が得られても、それは、混乱期の内部的重圧を支えるには十分ではない。

ある晩、私たちは森永氏と夕食をともにした。彼はかつて優秀な織手であったが、現在では美術品の取扱人になっている。彼は私が描いたという署名入りの一枚の絵を見せてくれたが、私はそれが偽物ではないかという彼の疑惑が正しいことを認めなければならなかった。これは私が出くわした三度目のケースである。東京では、私に箱書を頼みに、二個の焼物が持って来られた。三度とも、みんなひどい模作品だった。

鳥取グループ

私は、再び船木君と一緒に楽しく過ごし、長時間気ままに親しく話をした。彼は、道を見出し、自身で思考する、数少ない人々の一人である。

六月六日

鳥取で開かれる民藝協会全国大会に、島根県の工藝家グループと一緒に出席。肩を寄せ合い、清新な考えを戦わせ、たがいに助け合い、そして何らかの一致した行動に至るこのような集会が、英国では持たれていないのは残念なことだ。ここには日本全国からの百名に近い男女と、はじめて出席する五人の外国人たちが集っていた。外国人の中にラルー君という若いフランスの陶藝家がいた。彼は河井の所で一年間過した人で、いまは軍務に服するため帰国しなければならないのだ。彼は三年前にセント・アイヴスに私を訪ねて来て、日本の陶藝家たちに紹介してほしいと言った。

その時に彼は、自分は若くて丈夫だから、家族から援助してもらうよりは、オーストラリア経由の旅を船員として働きながらすることに決めたと言っていた。彼は横浜に着いたが、一度ならず再度にわたって入国を拒否され、やっと三度目にオーストラリアからやって来たとき、はじめて許可されたのだった。この前途有望な若い陶工は、自立したばかりの一九五七年、ポリオで急逝した。

また、カリフォルニア州から着いたばかりの青年、リチャード・ヒイブ君もいた。彼は濱田のところで、今、たいへん満足して仕事をしている。このほか、外国人は私とブレイク夫人だった。残念なことに彼女はごく近いうちに八年もいた日本を離れることになっている。三日間の猶予で日本民藝館が進駐軍に接収されようとしたとき、これを落着いて助け出してくれたのはブレイク夫人であった。もしもその日、アメリカ赤十字社の代表であった彼女がたまたまコレクションを見にやって来なかったなら、そして誰に援助を求めたらよいのかが判らなかったとしたら、そしてまた、もしも彼女がてきぱきと動いてくれなかったなら、民藝運動全体は大打撃をこうむったことだろうし、民藝館の比類ない宝物に対して、どのような損害が与えられたかは知るよしもない。

一九五二年に英国で開かれた陶工たちと織手たちの国際会議に関する私たちの報告と、濱田、柳両氏の欧米での感想によって、藝術一般におけると同じく、現代工藝における国際的交流の重要性が強調された。手仕事と機械との見事な共同作業によって生み出されたデンマークの家具が、今、世界中で最も優秀な作品の一つである、ということに私たちの意見が一致した。私は日本の民藝運動は最も綜合的で、広範囲に広がっているという感想を述べたが、同時に二つの批判も述べた。

すなわち、まず第一に、あまりにも大勢の工藝美術家がいるということ、第二に、もはや民藝工人ではないのにそのような調子で仕事をしている人々が、これまた大勢いるということである。私は次のような信念も述べた。すなわち、現状は、美術家に、一方では職人と、他方では工業と手を携えて働くことができるように謙虚さを持つことを求めている、そして職人には、自分たち本来の限界性を認め、美術家を原作者として受入れる謙虚さを持つ必要があり、また工業家の側では、職人には人として、美術家にはデザイナーとして接する謙虚さが必要であると。

六月十五日

総会が終って松江に戻ったが、その最後の日。八雲の紙作りの名人安部氏を訪問。紙を手漉するときのいろいろな工程を近々と見学した。この紙は、土地そのものに似た繊維の性質の暖かい、そして気持よい肌ざわりの使うのにもってこいの紙である。私は非常にたくさん

ワカサギの漁師

漁師たち

の紙をいただいたので、倹約せずに絵を描くことができる。つきせぬ歓待のお礼として、私にできるのは絵を贈ることだけである。松江を発つ前に、私は約三十枚ばかりの絵を人に分けてあげた。

そして、湖畔のすてきな旅館、数年前に泊ったことがある皆美館《みなみかん》で私の主催で会を開いた。高等学校でスライドを使って講演をし、もと、松平家のものだった古城の後にある有名な茶室と庭園を訪れた。美しい環境の結構な茶室だった。ああ、そうそう、へさきに「ヘルン」（ハーンのこと）という名が書いてある私有のモーター・ランチに乗って、宍道湖を軽快に走ったことを私はほとんど忘れていた。今度はハーンの古い家や、醜い小さな美術館に行かなかったが、彼が亡くなってからの五十年間に、そこを訪れた人々の数は数万人に達している。日本はその真の友人を忘れてはいないのだが、この館は適用を誤った善意の典型的実例だ。小さな白い柱状の洋風彫刻は、ハーンを嘆かせるだろう。

ここ数週間の間、私たちは役所の自動車で県内のあらゆる所へ案内された。長いこと自動車に乗って、鳥取県との境にある大山《だいせん》という、すばらしい死火山にも行った。そこで自動車を降り、背の高い杉木立の間の粗い石を敷きつめた昔の巡礼道——無数の石段——を汗をかきながら登って、金剛院に着いた。ここで、日本で今までに食べたものの中ではいちばん上等な食事をもてなされた。それは精進料理で、非常な手間がかけられているのだ。うど（ちょっと松脂の匂いがする一種の野生のアスパラガス）——これは山林の奥深くに密生する

大　山

――、見なれない茸類、山芋、豆腐をこんがりと揚げたもの、柔らかい凝乳とつぶした胡麻を練ってまぜ合せたもの。

しかしこんな暮しはすべてが甘美なものではないし、またそうであっても全く値打がないものかも知れぬ。厚くて清潔な、弾力性のある畳が、どんなにすてきでも、私の体がその上での生活を好んでいるなどとは考えないでほしい。それは大違いだ。関節はこわばってくるし、骨はあまりにも長過ぎるし、一日に二十回も靴をぬいだり、はいたりで、まるで私は年寄の「こうのとり」のようだ。

ふくれ上がったカバンの中から手紙やカミソリの刃を捜し出すのにもうんざりしている。すぐ手近にある小机を別とすれば、机も引出もないし、よりかかるようなところもないのだ。そして、実際に理解している倍もわかっているようなふりを、いつもしていることのつらさ。

六月十六日

鳥取市の吉田（璋也）博士からの電報で、京都に帰る途中鳥取に寄って、風景（鳥取砂丘）を破壊する人々に対する抗議の一端として、砂丘の絵を描いてもらえないかとのこと。彼はこの地方の民藝運動指導者で、市立病院長をしており、私を数回招待してくれたことがある。そこで疲れてはいたが、一晩を鳥取で過し、数枚の絵を描いた。後になって、抗議が成功したということを彼から聞いたが、私の絵が抗議とどんな関係をもっているのか、私にはよく判らない（この土地はそれから国立公園になった）。

吉田博士は北支に住んでいたことがあり、やはり医者をしておられる彼の奥さんは、たいへん料理が上手で、すばらしい食事――ほんとうの中国の家庭料理――をご馳走してくれた。

六月十八日

京都。堀内家に滞在。堀内（清）博士の父は私の祖父母の歯科医であり、六、七十年前に父が彼の家を訪ねたときに父の歯科医でもあった。いま彼は私の歯科医である。だから私たちの関係は長く続いているわけだ。再会したとき、彼がまず最初に言ったのは「やあ！　君の歯は明日の朝治さなくちゃいけないね」。二十四時間後には堀内君は完全な入歯を一揃い作ってくれたが、それは非常にぴったりとはまるものだった。彼が入歯の代金を受取ってくれないので、代りに焼物をあげた。私は、自分が非常に疲れていて、そのために少しからだの工合が悪くなったので、二、三日間もっとのんびりなさいという堀内氏一家の進言に従うことにした。暖かい気持のクリスチャンの家庭でのんびりすることはたいへん嬉しかった。

吉田家の中華食

そこで、私はもう一度ベッドで眠り、好きな日本食の代りに外国の家庭料理を食べて、十分に楽しんだ。私は、京都の真ん中にある富本の小鳥の巣のように小さな家で、彼や奥さんと一緒に二日半を過ごし、彼と再びともに過ごしたことを喜んだ。ふたりが陶藝家として出発した最初の十年の間、私たちはいつも兄弟のようだった。当時、日本の現代工藝界には私たちのほかには人がいなかった。実際私たちふたりは非常に異なった性格の持主であり、青年時代から老年期への時の流れとともに、人生の意義に対する私たちの考え方は、異なる環境と生来の性格の結びつきによって形づくられてきたのである。

しかし、表面では意見が違っていても、昔の魅力や尊敬心は残っている。富本は生命力に満ちみちていた。彼は自分の絵や焼物や秘蔵品を私に見せてくれた。そして過去のこと、現在、そしてこれからのことを語った。彼の作品はすっきりと清朗であり、尖鋭でいて深みがあり、とげのような美を蔵している。彼は人生の挫折によって辛酸をなめ、幻滅を味わったのだ。そして今、彼は日本を抜け出して英国に行き、しばらくセント・アイヴスの私の家で暮したいと願っている。だが、もちろん、私が彼に話したように、二つの大戦を経た後の英国は彼が覚えているようなところではないのだ。

初めて桂離宮と苔寺を訪れる。苔寺の歴史は八世紀の昔にさかのぼるが、当時その場所は聖徳太子の大きな別荘の敷地であった。しかし現在の苔寺の庭園はおもに十四世紀に作られたもので、多くの歴史上有名な人物がそれに関係している。岩の池、祠《ほこら》、茶室、樹木や苔などが狭い谷間の端にひそんでいる。幹が六インチもある四十フィートの竹の大きな藪、水、岩、葉、そして静寂。

桂離宮と庭園は、長い間、有名な茶の師匠である小堀遠州（一五七九―一六四七）の作とされてきた。そして伝説によれば、彼は次のような条件で引受けたという。その一つは、彼の気が向く限りいつまでも仕事をやる、二番目は欲しいだけ金を使う、そして三番目の条件は、完成するまで誰も参観を許されないというのであった。しかし残念なことに、最近になって小堀遠州は建築家ではなかったということが判明したので、この面白い物語の正確度は完全に失われてしまったが、にも拘らずそれは当時の気風を伝える役目をしている。

敷地、と言うより二つの庭園は、その多様性と空間の点で驚くべきものである。しかし私にとって、この庭園は気分的に息をつかせないものがあり、もしここで住まなければならぬとしたら、酸素を渇望する金魚のようになるだろうという気がする。すべてはあまりにも考え抜かれ、あまりにも形が整っているので、思考や気まぐれな空想が自由に羽をのばす余地がない。日本の庭園でいちばん私を感銘させるのは石の使い方である。微妙な、象徴的な、そして時間を超えた永遠性。

それは仏教ないし前仏教的なものであり、幼年時代の感情に対する感覚的な反応の中へと人々を引戻す。世紀を超えて偉大な伝統へと発展してきたこの直覚力は、私たちの鉄筋コンクリート建築時代の自己満足を揺り動かす。私はこのことを後で柳に話したが、彼も私の意見に同意し、地震の多いこの島国に石の建物がない結果、変らない生命の象徴として、また永遠性と涅槃《ねはん》の象徴として、日本の庭園にますます石を置かせることになったとつけたした。

六月十九日

特急「つばめ」で東京に帰る。雨——重苦しくじめじめした暑い日。調子はまだあまり良くない。

東京大学の美術史学科からきていた私の助手が、上野の博物館の浅野館長と欧州に行けることになった。そのため彼は、光悦から乾山に至る四大装飾家についての私の著作を手伝うよう、院生の水尾君に話したとのこと。とくに私は日本語の原書が読めないので、この仕事は生来の能力や練習をもってしても全く無理である。

朝食のとき恐怖について話し合った。暗闇に対する子供の頃の恐怖など——そしてどうして人々はこの恐怖を大人の生活にまで持込むのか、を。たとえば、私たちのセント・アイヴス窯での最初の陶工ジョージ・ダンがそうだ。彼は、私が夜おそく窯に火入をしてから、野原を通り、カービス湾まで四分の三マイルの道を歩けるなど、理解できないのだ。「恐ろしくはないのかね、親方？」と彼はいつも尋ねたものだが、そういう人はコーンウォールにほかにもたくさんいる。柳はM氏のことを例にあげた。私はその人が外務省の慎重な役人であるのを知っていたが、柳は「あの人は暗闇がどうしても恐いものだから、夜中に手洗に起きるときは、奥さんもいつも一緒に起きなければならないのさ」と言った。

「入梅」である。じめじめした雨の月。手紙を出しにポストへ。歩道や塀は水気で光り、あたりにはもやが明るく立ちこめ、虫が高音で鳴いていた。

六月二十三日

柳の甥の悦孝君や芹澤氏が教えている女子美術大学へ招ばれ、作品を見に出かける。生徒たちは自分の創意でデザインすることが認められているが、予期に違わず大部分は間違ったものである。しかし四年間の勉強を経たものの中には、よいものが幾つかあった。模様は大柄なしかも激情的なもので、私はそれがはやりになっているのかといぶかったほどだ。何か話してくれと頼まれたので、私は自由で個人的な表現方法におけるいくつかの困難を指摘し、さらに、現在は局地的な伝統が崩れ、他のすべての伝統を摂取するような時代にあるのだから、思考や生活の未経験の方法から湧出してくる異国の様式でデザインするには、大きな注意が要ることを述べた。とくに日本人にとって、西洋の特色を拾い上げるのはたやすいことだが、西洋から来た私たちには、内容が欠如している場合が明らかに見えるのだ。

緑茶の碗

それから丸善ビルの九階にある英国文化振興会の開所式に出かけた。振興会の代表者のクローズ氏や、英国大使、また高松宮殿下夫妻、秩父宮妃殿下の姿が見えた。秩父宮妃殿下には、私の古い友人の神田氏が紹介してくれた。妃殿下と上品で打ちとけた話をしたが、妃殿下は私の作品のことを知っておられ、一つ二つは所持していらっしゃるとの話だった。妃殿下は、天皇の弟で割に若くして亡くなられた宮様の未亡人である。開所式の演説は、九階も下にある街路の騒音でほとんど聞取れなかった。

六月二十五日

高松宮邸で開かれた光輪クラブの集りに柳と招待される。英国の戴冠式のための晩餐会。会員のほとんどは著名な銀行家や実業家である。広い芝生の上の小さなテーブルで食事をした。厚いビフテキ、冷たい皿のヨークシャー・プディング（鉛のようなもの）。しかし私は、日本の肉はたいへん結構であると言わねばならない。私たちの友人であるアサヒビールの山本（為三郎）氏が主催者、キリン・ビール氏——名前を失念したが、英国に十五年間いた——が隣に坐り愉快そうだった。その後で私たちは日本と朝鮮の良き焼物のスライド写真をたくさん紹介したが、それを鑑賞したのはこのクラブの会員のほんの少数の人にすぎなかった。

過去十八年間、こんな蒸し暑い大気の重圧を感じたことは初めてだ。昨夜はパジャマで寝て、汗をかいた。午前三時、頭上高く米軍機が一群また一群、重苦しく飛び去る音を聞いたので窓を開けたが、何も見えなかった。朝鮮でのだらだら続くあの恐しい戦争。平和はなんと遠いことだろう。真の平和？　それは何をもたらすのだろうか。

六月二十八日

山本氏と一緒に午前中を過ごし、民藝館の一角をちょうど囲む氏の家ですばらしい昼食をとる。ここ数年来もっとも上等のロースト・ビーフと上質のシャンパン。大阪の大実業家である彼とふたりだけでしばらく話す。山本氏といろいろ話したが、彼は濱田を、柳の理想主義を補う正真正銘のバランスと実行力の持主と理解し、感じている。

六月二十九日

水尾君と上野の美術研究所に出かけた。彼は、画家、書家、工藝家、そして詩人である宗達と光悦の作品の写真を、数多く広げてくれた。日本の美の世界の顕現。疑いもなく、歴史上、装飾藝術の高峰の一つである。

六月三十日

ブレイク一家との夕食の席上、ロバート・ブライスと会う。坐って五時間ほど語り合った。禅、俳句、工藝、日本、生活などについて。私は、東洋の内面を知っている感覚豊かな英国の詩人と会えてまったく嬉しかった。私たちは意気投合した。私は俳句についての彼の著書を一行一行読んでいる。その本は東洋の詩心に対する窓を私に開いてくれた。それも彼の翻訳――彼の翻訳は東洋的形式をいたずらに追うものではない――によってだけではなく、刺戟的で示唆的な説明に負うものだ。ブライスは永年朝鮮の禅院で過し、その源泉から深く学んだ。彼は東京では多種の英文書を出しているが、英国では一冊もない。私は彼の『英文学における禅』という本に大いに啓発された。彼は、東京の学習院で教えている。

第五章　濱田の益子

流し掛けをする濱田庄司

七月一日

濱田の長男で新聞人の琉司君と、彼のお母さんにたくみ工藝店で会う。琉司君は、パン、バター、コーヒーなど私の買物を手伝ってくれ、帰りは東京駅を通り越し上野駅まで見送ってくれた。

汽車が東京東部の工業地域を走って行くと、私は、初めて日本へやって来た四十五年前を想い起した。田圃の狭い畦道《あぜみち》をぶらぶら歩くと、足もとから緑色の蛙の群が右や左の水の中に飛込んだものだったが、今は気の滅入るスラムが幾マイルも続いている。

二時間で宇都宮に到着。そこから自動車に乗り三十分で益子に着いた。約八十マイルの距離である。私たちが着いて、皆と挨拶をしている矢先に、ふたりの訪問客が現われた。昔《むかし》気質《かたぎ》の後援者でお役人で、栃木県で私の作品を展覧したり、名所や温泉へ連れて行ってくれたり、たいへんな親切ぶりだった。後ほど濱田に「どうして、あんなことをするのだ？」と尋ねると、「彼らは親切な人たちで、君をもてなそうと思っているんだ。菅沼さんは県会の議長で、栃木の文化や文学界を代表している人だよ」と答えた。彼らは居続けて、話し込み、そしていつものように写真が撮られた——私は数百枚ためている——。そしてやっと夕食の前に去った。食事には、大陸風のソーセージや、挽肉と「腐乳」がつまっている中国式のちまきがどっさり出た。腐乳というのは醱酵した豆腐の珍しい魅力的な煎乳で、味と感触は燻したカマンベールチーズに似ている。濱田が弟子にしている若いアメリカ人陶工のリチャード・ヒイブと話したが、丘の上の新しい大きな家で、蚊帳《かや》や結構な刺子布団などを用いて、彼が快適な生活を送っていることを知った。

益子は、関東平野を横切る最初の山並の麓にある。以前は松の木で覆われていたのだが、戦争ですっかり荒れてしまった。今では煙草《たばこ》栽培者やパルプ材の使用人たちが陶工たちと競争し、材木の値段はうなぎ上りの有様だ。益子では約三百人の男女が四十ばかりの仕事場で焼物作りに従事している。濱田は日本全国におけるように、益子でももちろん有名な人物である。彼は質素な出発から現在の窯場を作り上げた。それは、竹藪、杉林、庭地、樹木などから田圃の端に至る数エーカーの斜面から成っている。現在はそこに五つの主な建物――彼が住居にしている古い農家、その後方にある新たなもっと大きな家、広々とした頑丈な仕事場、二つの長屋門、二つの窯と納屋――がある。

一緒に仕事をしている次男の晋作君のほかに、末っ子のヨッちゃんと奥さんの和枝さんが、いつも益子にいる家族の顔ぶれである。東京の小さな家には、長男の琉司君と、陶工としての訓練をうけた三男の篤哉《あつや》君、そしてふたりのお嬢さんが住んでいる。益子には、ふたりのお手伝いさんと妙な人と、老女がひとりいる。この老女については、彼女が日向で大麦をひっくり返して乾かしているのを私が見ていた際、濱田から話を聞いた。彼女は一日に二百円以上を受取ろうとしないが、ただ一度例外があった。それは彼女がお寺参りをし、わずかな賽銭を出そうとしたときのことだった。彼女はいつも戸外で静かに、きちょうめんに働き、近所の小屋にひとりで住み、夏も冬も板の間で暮して、満ち足りた平和な心持をあたりに及ぼしているのだそうだ。

七月三日

大きな仕事場で終日轆轤《ろくろ》を挽《ひ》く。夕方、リチャードと散歩した。カメラをもった新聞記者に二度侵入される。だめだと言うのに無理に仕事場へ入ろうとしたひとりの男を濱田は断固退けた。仕事は一日中たいへん順調に進んだ。口もほとんどきかない。各人は満足と思いやりの精神を分かち合っているようで、西洋流の興奮した様子は見られない。ただ、私たちのアクロバチックな感覚における創造性という点では、だいぶ物足りないようだ。

濱田は、正面の長屋門に面した母屋《おもや》で、いろいろな出来事や訪問客に目を配りながら、ひとりで仕事をする。訪問客は頻繁にあるが、陳列室がないので、ひとりないし集団で中を案内してもらい、そしていつも食事の饗応を受けるのである。

彼がどのようにして落着いたバランスと心の平静を保っているのか、私には判らない。伝統的な手仕事のもつ秘密の一つは、精神的にも肉体的にもむだな労力を払わないということである。益子の土はとくに造形性がいいわけではない。私は粘土を轆轤の上にうまく「坐らせる」ため苦労して挽上げるのだが、彼らは全く適切な動作によって、きわめて簡単にそれ

益子の濱田窯

をやりとげるので、夕闇が迫るころには数百の焼物が労せずして出来上がっている。私は手轆轤を使うが、それは、盤の縁近く設けてある穴に棒をつっこんで、右手の力で右回りに回転させるのである。濱田も同じだ。しかし他の連中は、素足で踏みながら動かす蹴轆轤を使っている。二十ポンドの粘土のかたまりが十五インチの高さの円錐に螺旋形に作られて行くとき、下の方の蹴り車のつやつやした斜面の上の足の自動的な動きにはほとんど気が付かない。

七月四日

一晩中雨が降り続き、朝の七時現在、まだ止まない。重くたれ下がった藁葺の屋根から落ちる雨垂の音を通して、数千の蛙の鳴声が聞えてくる。下手《しもて》の家では朝食を準備する声音がしている。コーヒー、ベーコン、卵、そして私の大好物の味噌

茶碗（濱田、益子）

汁。さあ、雨合羽と下駄《げた》と、ぬかるみへの準備だ！上履《うわばき》！鳥の巣のような日本人の家は、外履のままでは中に入れないことになっている。だから、一日に何回も靴を履いたり、脱いだりしなければならない。磨かれた廊下には草履やスリッパが備えてあり、便所用にはまた別なのがおいてある。これらの履物はいつも小さすぎるので、六十年のあいだ靴の中で締めつけられていた私の爪先は、下駄や草履の鼻緒にすっと入らないのである。

始終私は鼻緒をいじっているわけで、いつでもかがんでいることに対して心の中でぶつぶつ文句を言う。今ではすべての日本人が靴を履いているが、踵を踏みつけて靴を履くというようなことはしない。ひとりひとりが靴ベラを持っているのだ。彼らは靴下のまま一本紐の草履をはくことさえできるが、外国人にとってこれほどしゃくにさわる家庭スポーツはない、と思う。

日本では、やさしい春が過ぎると、急に新緑の候がやってくる。六月の雲の毛布のかなたにある暑い太陽は、びしょぬれの火山土に光線をそそぎ、炭酸ガスと葉緑素をふやす。そしてその結果が、木の葉の繁茂となるのだ。

リチャード・ヒイブ君はめったに見られないほど上手に日本の生活にはまり込んでいるが、しかし彼は日本語は早く覚えなかった。昨日の午後おそくなってからのこと、ひとりの訪問客が仕事部屋の窓の外に立ち、仕事にはげんでいるリチャード君にお辞儀をした。リチャード君はどぎまぎしながらその人を眺め、大きな声ではっきり言ったものだ、「おはよで、い、い、ございます」。部屋の中は笑い声でどよめいた。

七月六日

一日中百個余りの焼物を絵付した。私の老骨には、この仕事場は居心地のよい場所ではない。この仕事場は、日本の他のものと同様、機敏な足の短い人たちに都合よく作られている。たった九インチの違いがもたらすものは驚きである。気を付けていても、いろいろ食違うのだ。

光線は低目に入ってくる。頭上には、セント・アイヴスと同じように、棚の上に焼物がしまってあるが、桟がついていないし、それに焼物を全部動かすのでいつも粘土だらけになっている。しかしこれくらいなら、たいしたことはないのだ。薄暗いところでは、私は竹の張り出し棚に頭をぶっつけるし、そうかと思うと、こんどはでこぼこした土間の上にいっぱいに並んでいる焼物を蹴とばす始末。テーブルもなければ、気楽に腰を下ろしてどんな様子だろうと眺めることのできる腰掛もないのだ。みんなは轆轤のはめこんである低い床にあぐら

濱田工房（右からリーチ、リチャード・ヒイブ、佐藤さん）

をかく。私は脚を空間に投出して坐り、あまり汚くならないために濱田のモンペ（だぶだぶの作業ズボン）とゴム長靴とを着用し、瀬戸物屋の中を不格好な雄牛のようにのそのそと歩き廻るのである。

　午前と午後の二回にわたってお茶のための中休みがあり、全員で下手《しもて》の家に下りて行って、十五分ぐらい雑談する。仕事を始めるのは午前八時かそのちょっと前、終るのは午後六時、一週七日間休みなしである。最近、濱田窯の職人は定休をとるべきだ、と示唆されたが尻すぼみで、誰も望まなかった。

夕方の六時になると、いちばん最初に私がお風呂に呼ばれる。この地方の風呂はコンクリートの中に鉄の大釜をはめ込んだもので、底につなぎとめてある安全用の木の板——いつもつなぎとめてあるとは限らない——の上にしゃがんで、首まで楽々とつかっても十分なくらい広々としている。お手伝さんがやって来て外から「リーチさん、どうですか？」と言う。私がもし「少し熱いよ」と返事をすると、彼女はポンプを押して、私が「ストップ！」と叫ぶまで、竹の筒からは冷たい水がどんどん流れ出てくる。もしぬるい時には、釜の下の方で薪が威勢よく燃える音が間もなく聞えてくる。もちろん、風呂にはいる前には桶をひっくり返し、その上に坐って気ままにお湯をかけながら体を洗う。お湯につかったあとで本格的に体を洗い、それから腰を下ろして体を冷やす。するとその日の心配事も緊張もすべては湯気と一緒に流れ去ってしまう。それから最後に家族一同——たいていは男たち——が、中央の農家の台所に集り、腰掛にかけて長テーブルを囲み、満腹するまで食事をする。薪の煙は、頭上三十フィートの棰木や屋根の煙出し穴に立ちのぼって行く。

七月七日

「英文毎日」や「ニューヨーク・タイムス」は、朝鮮での恐しい紛争でいっぱいだ。私たちは、朝鮮の人々が自分たち自身の問題について、苦しく、かつ向う見ずであるのを非難できるだろうか。米国は二万五千名を失い、朝鮮は数百万を失った。そして「朝の静けさ」を意味するこの国は、民主主義連合の名の中で荒れ果ててしまった。だが、ほかにどんな選択があっただろう？

私は、濱田が、この奇妙に柔らかい、砂っぽい粘土を轆轤にかけて成形するのを見つめていた。この土地の下土は砂質のように見えるが、つまんでみると、親指と人差指の間でほとんどの粒がなめらかになってしまう。しかしながら、彼が年数のたつにつれて愛しているいろいろな混ぜ土は、珪砂を相当に含んでいて、乾いたボロボロパンのような素地《きじ》になるが、濱田はそれと重厚な木灰釉とを対比させるのを好む。彼は、大胆に早く轆轤を廻し、土が台上で形を保っていられるのにちょうどなくらいに乾くと、幅太い削りを施すのである。大きな焼物の上部には、巻上げの特別な技術が使われ、下の方は普通に轆轤をかけ、半ば固められる。この仕事をやる時の彼の自由さと気楽さは驚嘆すべきものだ。

だがよく見れば見るほど、それは濱田自身の中にあるバランスの結果であることが判る。明晰で落着いた概念的な思考が、同じように明瞭に表現された行動へと自然に移行して行く。人々は彼のところにやって来て実際的な問題について話しかけるし、訪問客の面倒も彼は見なければならない。また、ここ数年間新しい家の建築にとりかかっている年寄の大工の相談も聞いてやり、指示を与えたり、雑談したりする。しかも彼は、大部分の時を、坐って自作を眺めたり、轆轤を廻したり、肩ごしに話したりしながら、ちっとも自身を妨げないでそういうことをやってのける。そうだ、彼の壺は、滑らかな曲線をもつギリシアの壺や、ドイツのベラミン（ひげ徳利）とは違って、人間の腕の骨のように関節をもっており、動作は間をつなぎながら次の動作へと移っていく。轆轤にかけられようとかけられまいと、完全な中心をもっている壺はめったにない。だが、濱田はわざと中心を外そうとしているのではなく、単にそれ自体のための機械的正確さということに執着していないのである。焼物が機能を果し、感じと姿がよければそれで十分なのだ。

これらの問題に対する我々西欧人の判断は根本的に違っている。大ざっぱに言えば、私たちは、機械から引出された期待と、非常に正確な精密さとから出発し、労働とその所産という概念の上に、生活の方法と評価を打立ててきた。最近まで東洋ではこのようなことは行われなかった。その結果、むろんほかの

濱田の小窯

ものもだが、焼物を使うことと楽しむことの両面への東洋人の期待は、手仕事と自然素材に本来ある非規則性の活力により、生き生きとしたものになったのだ。いろいろな用法に対して、また単に形の均整さに対して、土は粗いだけではなく、より意義深く、素地や色や筆遣いや形などにおいて、人間表現のはるかに大きなスケールが陶工に許されるのである。そして、濱田を見ていると、このことが現に起りつつあるのが判る。

七月九日

二回目の地震。今朝は、露の玉をちりばめた蜘蛛《くも》の巣が木の茂み一面に糸をかけている。用心深い牝鶏が数羽、下手の日陰のところで、一つ目で鶏頭のような朝の虫を捜して跳びはねている。力強い光線が村の稲田を横切り、靄《もや》が山を巡ってゆっくりと渦巻く。

私たちは、計画が遂行される時間内に焼物を乾燥できるかを心配していた。このところ雨ばかり降り、何もかもしめっぽく、かび臭い。柳は茶色のパンを東京から送ってくれたのだが、こちらに着いた時には緑色をしていた。昨日は、陽が出たり、夕立が降ったりしたので、三度も千個ばかりの焼物を出し入れした。今日は、午後四時まで焼物を外におき、それから全部で二千個を棚に運んだ。下手の家を経て二百五十ヤード、つるつる滑るぬかるみの小道を通り、長い物置小屋の周りの地面にまとめて並べる。お茶の後で、素焼窯に窯詰をし始め、夕食の時間までにはほとんど完了した。それから後は蠟燭の光で仕事をすませ、火入をした。

私はこんなことを見たことがない。リチャード君と私のほかは、誰もが自分の仕事を知っていて、うまく身をこなす。窯の四つの口は高さがわずかに四フィート、それぞれの室には詰め手がひとりついて、背中をかがめて立ったり、柔らかい砂の床に膝をかがめたりして、棚の上に壊れやすい焼物を並べている。そのやり方は私たちと大差ないが、もっと手荒くて、セント・アイヴス窯の人たちをびっくりさせるほどに早いのだ。外では、窯の方に走ったり、跳んだり、速足で焼物が流れて行く。誰も狼狽したり、いらいらしたりしないし、私たちより破損率が少ない。

三時間から四時間、濱田は手伝わずに、おくれて注文された小さな盃を轆轤で挽いている。それらも同じようにぐるぐる回され、乾かされ、そして最後に詰込まれるのだ。

おもな焚口に大きな薪を入れ、空気穴を全部開けて、一晩中ゆっくりと焚続ける。セント・アイヴスの場合と同じように進んで、翌日の午後三時には第一室が完了。その次には、ごく小さい薪を横の焚口にくべ、午後八時には四室全部が終った。窯の丈はそれほど高くなく、幅も私たちのものよりは少し狭いが、天井中央の頭上や棚の上にはかなり空間がとってある。下のほうの主焚口の左右には、火のための空気孔がある。煙突はない。

最後の本焼窯は、温度がのぼらないため失敗した。同じことはすぐそばの他の窯でも起ったが、これは窯の壁が異例な湿気を吸込んだためと思われる。私たちは十八年前にこれらの窯を焚いた専門工を尋ねて意見を聞いた。彼の言葉によれば、湿気を追払い、熱の容積を増すために、燃えがらがつまらないように留意しつつ、下のほうの焚口で長時間焚続けるのが解決策だとのことだった。彼はいろいろなことをつけ加えたが、濱田も、温度が昇らない場合には、総じてこのやり方がよいことに同意した。このようにして、主焚口と同時に横の焚口でも、三十分ごとに交互に火がくべられることになる。このやり方で、熱の増大を確保するとともに、火室がつまってしまうのも防ぐことができる。

七月十二日

太陽の輝くすばらしい午後、濱田や彼の末子のヨッちゃんと一緒に散歩に出た。濱田の持山である、木の生い繁った数エーカーの丘を越え、陶土の谷まで行った。私たちは三軒の田舎家を尋ね、坐っておしゃべりをし、お茶を飲んだ。

蚊がぶんぶんとうなる
夕闇にひびくその甲高《かんだか》い音
暗闇に蛍が光り
濡れた蛙の歌声は
夜明け方まで鳴き止まぬ

The mosquito pipes
His high note at dusk,
Fireflies light the dim,
And the wet chorus of the frogs
Continues to the down.

昼ともなれば松の木の蟬《せみ》が
ほの白い月に向かって鳴き立てる

But by day it is the semi on the pine,
Who bays a pallid moon.

七月十四日

一日中、木陰で釉掛をした。木の下はびっくりするほど涼しくて、日当りがよい。なんという申し分のない取合せだろう！　藁屋根の下で、眠っている有史前の動物のような傾斜した長い窯、地面におかれた板の上の焼物、道具と釉桶。濱田は坐って、二十四インチの大きな碗にすばやく、そしてじっくり考えながら絵付をしている。晋作君やふたりの男とふたりの女たちは、しゃがみ込んで、次から次へと、分類したり、埃を払ったり、引張り出したり、濡れたどろどろの釉を指でいじったり、または納屋の中へしまったり、出したりしている。リチャード君は自分のできることならなんでもやり、必要な時には手まねで話をしている。そして私は、隅っこで、自分の分の始末に忙しい。

昼御飯のちょっと前、ふたりの外国人が尋ねて来たというので行ってみると、マサチュセッツ州ウスターのクリング夫妻であった。夫妻は私たちが彼地にいたとき、たいへん親切にして下さったよい人たちだ。クリング氏は焼締陶を作るのが趣味で、そこでユニテリアン派の牧師をしており、ウスター藝術センターを経営している。夫妻は昼飯どきまでいたが、あまり私たちの邪魔にならないように気をつかっておられた。

また、他の客たち——地方の小役所の人たち——は、迷惑ではあるが、濱田が言ったように、何かしたいと思えば行政のピラミッドの部分である彼らに気に入ってもらっておかなければならないのである。しかし、働いている陶工たちのひそひそ話は、あまり敬意あるものではなかった。その他、新聞社の写真班の人たちふたりも尋ねて来て、三脚をもってセカセカと家に入ったり出たりして二、三時間もいた。しかし、こうしたごたごたをものともせず、仕事は、騒々しい中をセント・アイヴスの私たちの二倍の早さで、静かに進んだ。もし私たちがセント・アイヴスでこのような妨害を強いられたら、とてもこんなには進まぬことは確かである。

リチャードはまわりのすべての人たちに好かれた。この二十三歳の若いアメリカ人が、いかに食物や生活などの習慣をおおむね受入れてきたかを見るのは愉快なことだった。そのうえ、彼自身の仕事は濱田の作のただの模倣ではないのだ。

七月十五日

東京での二、三日。買物。急ぎの手紙類の処理。毎日新聞と一年後のこの日記の出版に関する合意。

ハル氏の奥さんがとても良く経営する〝ハンガリア〟での楽しい夕食会。同氏は、感受性豊かなハンガリー人の写真家で、私が時折相談に乗ってきた、「日本の藝術」というアメリ

水差（リーチ作、益子窯）

カ人向けの短いドキュメンタリーの製作を終えたばかりであった。

七月十八日

柳と自動車で益子に行く。でこぼこの道。いちばんよい道が英国の三流の道に相当する。日本では、道路作りは新しい骨の折れる仕事だ。それにもかかわらず、あらゆる所に、自動車やバス、トラックが走っている。十八年前にはこういった車はごくわずかしかなかったし、四十年前は全くなかったのに。

七月十九日

午前中いっぱいかかって本焼窯の窯出し。私の留守の間に焚かれたのだ。結果は全体に非常に良好だったが、私のは、

七面鳥と竹藪

こせこせしたデザインのため、そして一部は材料の不慣れな使い方だったために、混乱していた。普通の土と釉を使った焼物は、多少、イギリスの中世紀と地方の伝統とを混ぜて処理したのだが、よく出来ていた。

濱田は、天目釉や白い不透明釉のような濃厚な釉をかけた陶器を窯の中で、土を詰めた幾つかの小さな貝殻の上に置くやり方を復活させていた。これらの貝殻は多かれ少なかれ純粋の石灰分から出来ているので、焼いたあと砕くと、底の高台にとても好ましい魅力的な痕跡を残す。また同時に、陶器が台にくっつくのを防ぎもするのである。

七月二十日

昨日、私たちは急に、試験所のひとつで行われている伝統的な絹織物を見るため、役場の車で三十マイル離れた絹の村（結城）に連れて行かれた。菅沼氏がこの研究所の後援者である。

私たちは、絹の塊がお湯の中で、約九インチずつ離れた四つの掛釘の上に、ちょうどハンカチのように繭から引伸ばされてくるのを観察した。ひとりの静かな顔だちの女工が忍耐深く糸の面倒を見ており、もうひとりの女の子は小さな手織機で巧みに織っていた。ついでデザイン室に案内されたが、私たちはそこですっかり黙りこくってしまった。

その後のお茶話のとき、柳は敢然として、この試験場が作っているデザインは柳の見た中では同地方で最も悪いものだ、と率直に話した。よい植物性染料の代りに悪い合成染料、この村を有名にした、地味な、しかしすばらしい渋味の代りにしゃれた当世ふうな模様――そういうことが彼らが受継いで来た伝統の真価をめちゃくちゃにしてしまったのだ、と。

濱田と私も柳を応援し、日本だけではなくひろくは世界的に起っている現象について述べた。現在の趨勢は、人々の生活の中から生まれた良き伝統をはなれて、真実味も生気もない百貨店の世界へと移りつつある。菅沼氏は尊敬に値する態度で批判を受入

バッタ

れ、対処を約したが、試験所の所長は気が顚倒してしまった。

それから私たちは、七十マイル離れた那須温泉に案内された。この温泉は霧が立ちこめる海抜三千メートルの高地にある。この地方の役所によって大きな葡萄酒パーティーがおこなわれたが、大量に酒を飲むのを好まない私たちにとって、それはむしろ情ないスポーツだった。

翌日の朝も、硫黄泉に入った。同じように霧が立ちこめていた。それから烏山《からすやま》にある製紙工場を訪れたが、桑の樹皮が木材パルプにとって代られ、量が質を駆逐しているのを発見した。同じような話はどこにでもある。

二十人の人たちと一緒に昼食をとった。栃木県の文化人や役人たち九十人と晩餐をともにするため、宇都宮に帰る。講演、公開討論、菅沼氏は、柳のおかげで確信がもてたと率直に話してくれた。これらのことはすべて、あとで新聞に載った。

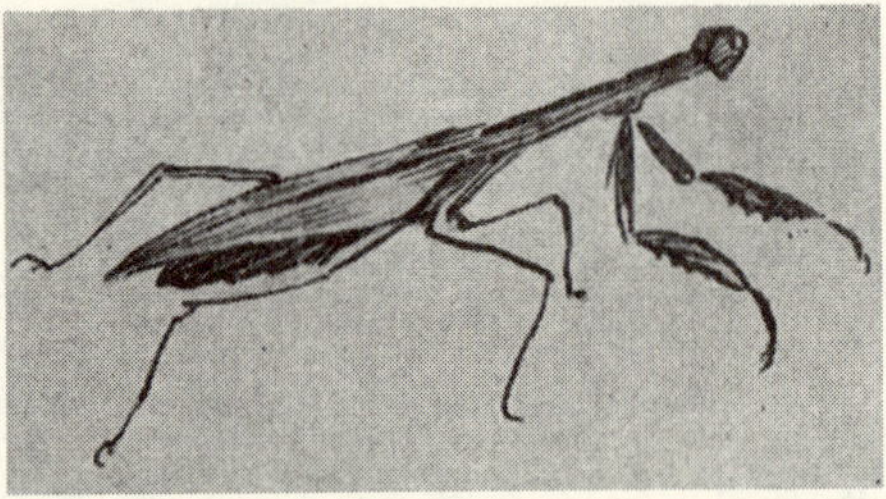

カマキリ

七月二十八日

英国よりもよっぽど暑い。暑くて、不愉快だ。六月からほとんど七月中降り続いた雨は、南日本に悲惨な水害を引起している。

雨が止んだあとには、暑い太陽の熱がびしょぬれの大地に注ぐ。私たちの靴にはかびが生え、一ヵ月のうちに竹の子は三十フィートから四十フィートも伸び競う。足のあるものは這ったり、飛上がったりし、羽のあるものは飛び、活力のあるものは成長した。そして私たちは汗だらけになり、呪う。

めんどり

蚊、ぶよ——貪欲な小悪魔、小さくて音も立てないが、人は血が流れているのを見るまで刺されたのに気がつかず、刺されたところはたまらないほどかゆい。——巨大なやんま、雀蜂、お祈りをしているかまきり、たくさんの雄の大甲虫、それにもちろん、鳴きつづける蟬。

濱田家の人と彼の末っ子、私とで車に乗り、一番近くの大洗の海岸——ここから四十マイル離れている——に行った。浜には大勢の人がいた。私は日焼けして、昨日は背中と胸が我慢できないほどむずがゆかった。団扇《うちわ》と若干のてんか粉をもってひとりで外に出かけ、裸になっていちばん涼しそうな場所を見つけに上り下りした。

七月三十日

益子町のお祭。数日間続けられる年に一度のこの行事のため、町はいくつかの区域に分けられた。ここからいちばん近い区域にはお祭の本拠があり、そこは濱田の家のすぐそばだ。

ある晩、私たちは、飾り付けや、村の人たちが描いた魅力的な角提灯を見物しに出た。これらのものは、田圃の間の曲りくねった畦道に沿って飾られている。村の老人たちが本祭の日にまたぜひ来てくれと言った。

その本祭の日に、私はひとりで見物に行き、背が高いので家の中で行われていることを群衆の背後から眺めた。畳の上に坐っている人々は列をなしてぎっしりと並んでいた。その真ん中に広々と空いた場所があり、一つの巨大な盃がおいてあり、盃には、大きな白いコーヒーポットから約四ガロンほどの熱い酒がなみなみと満たされていた。列の順番に次々に人が

めんどり

出て来て、しゃがみ（私には背中を向けて）、お辞儀をし、どのようにするのかは見えなかったが、かがみながら酒を飲むのだった。

そのとき、小声の相談が聞えた。見つけられてしまったのだ。逃げ出せないでいるうちに、私は輪の中に引張り込まれ、幸運が続くように酒をお飲みなさいと誘われた。どこから持って来たのか、このことを記録におさめようとカメラまでが用意された。私はしゃがんで、ぎこちなくお辞儀をした。さて次には、唇をつけて飲むのか、それとも湯気の立っている酒の池の真ん中からじかに飲むのか、わからなかった。真ん中から飲む方が上品だし、それに衛生的だと考えたが、これは私の思い違いだった。と言うのは、酒の中に私の長い鼻そのものがつかってしまったのだ！

私は若い人たちが、ほんの短い数秒間に、驚くほど大量の酒を平らげるのに気が付いた。こうしたことはすべて和《なご》やかで、地方的な性格のものだったが、おお！　なぜあんな厭らしいコーヒー壺が使われるのか？　ことに益子のような陶工たちの町で！

私たちは、土瓶の絵付をする皆川マスさんを訪ねた。彼女は八十二歳で、もう仕事はできない。この荒っぽい口を利くお婆さんは、日本で伝説的になっている。私は二十年前、益子の陶工の暮しを十六ミリフィルムで撮っていた時に、初めて彼女に会った。濱田は、彼女が伝統的手法の比類のない活気と軽妙さで装飾する田舎の台所の土瓶は、時流に合わなくなっているので、外国の茶の器セットを私が考案して地方の陶工に作らせ、マスさんに絵付して

益子のお祭

益子のお祭

もらうことを思いついたことがあった。私はそれを作って、彼女に来てもらい、十代に父親から教えられた二十あまりの模様をつけてもらうことになったが、それを紙や不慣れな形のものに描くことはどうしても承知してくれない。それでは正しい感じがしないと反対して、「丸いものやいつもの形が気持が良いんだよ。これはだめだ」と言う。私はその一セットを今も持っているが、それらは、外国の本物や日本の産業の模造品に熱中する大部分の一般の好みを捉えたものではなかった。

マスさんがテーブルの片側で、私が他の側で仕事をしていたとき、彼女は急に、「ああ、この模様は思い出せないよ。お父つぁんはどうやったっけ。あんたは学のある人だからやりなさい！」と言った。

自分の名前は書けないが、彼女は、働き盛りには一日千個の絵付をした。そしてありがたく受取ったその給金は、二シリングほどだったのだ。

しかし柳は、彼女の限られた分野では、彼女のように筆を使える美術家は日本には一人もいない、と言い、その仕事を徐々に人びとに知らしめた。ある晩、ここの陶工たちに私の作った映画を見せた。スクリーンに映し出されたマスさんを見ると、彼らは馬鹿にしたように大笑いし、中に坐っていた彼女も笑った。

あのとき、私は、マスさんの伝統技が失われるのではないかと心配して、濱田にそのことを幾度も話したのだった。だから今度訪ねて、彼女が孫に古い模様を教え始めていたのを知って嬉しかった。彼女は、自分の筆を、村の犬の毛で作る。尻尾の先か、頸の裏の体との摩擦の少ないところの毛を使うので、毛は減った分育つのである。たくさんの絵付師がいた昔は、彼らの間で、最良の毛皮の犬を競ったということだ。これらの筆は毛先が長く、だらりとしていて、書には全く不向きだが、こういう芍薬や竹や梅の古い模様や、富士山の線描的な印象を手早く描くには、すばらしく有用だ。

二十年の間に、皆川マスの益子での位置は変ってしまった。皇太子の先生で『皇太子の窓』の著者のヴァイニング夫人は、彼の二人の妹をマスさんを見に連れて来た。老女は方言で話しかけたが、幼い皇女たちは黙っていた。とても行儀が良かったので、帰るとき、荒っぽいマスさんは遠慮なく尋ねた。「楽しかったかね？　面白かったかね？　帰ったらお父さんとお母さんに話すのを忘れないで。いいかね！」一週間後、天皇御自身が益子に来られた。

皆川は、天皇と何も話してはならない、と言われた。天皇がお着きになる前、二十人ほどの報道カメラマンが仕事を始めてくれとせがんでいたが、彼女は言い返した。「今日は天皇さまのために描くんだ。あんたらの好きのためじゃないよ」

天皇が来られ、これまで有名な文化人や新聞人にそんなことのなかった彼女が、急にあがってしまった。予定していたことを忘れ、判らなくなり、器を轆轤の真ん中に据えることができず、手はふるえる。天皇は、「何歳になるか」「一日に何個ぐらい絵付するのか」などとお尋ねになるが、彼女はものが言えず黙ったままだった。

あとで近くの友達が来てお祝を言ったが、マスは愚痴った。「私は天皇さまのズボンと、侍従さんの手がいらいら脚を叩いているのしか見なかった。ぱたぱたする白い手のおかげで、仕事できなかったよ」。たった一分間の予定だったのに、天皇は時をお忘れになったのだった。皇居へお帰りになると、彼女についての短歌を詠まれた。それが益子へ届くと、役場は石に刻んで記念碑をたてた。むろん、それから老皆川マスは、故郷でひとかどの人物となったのである。

一九〇九年、彼女はこういう土瓶の絵付をしていたが、そのとき私は自分用に一つ買い求めた。それ以来、彼女は唯一の絵付師だ。すべてを割引いても、彼女は永い生涯に三百万個以上の絵付をしなければならなかっただろう、と濱田や柳は見積った。

また、私は、永年濱田の友で弟子であった佐久間（藤太郎）という陶工を訪れた。彼は、自身の仕事場と窯を持つ土地の焼物師で、単純で正直な性格の人である。濱田の作を真似することなしに、健全で自然な方法で濱田から多くを吸収してきたのだった。濱田は広い影響力を持っているが、目立った弟子はいず、佐久間も直接の弟子ではない。彼はちょうど太陽に照らされて花を咲かせたつつましい植物のようだ。

その最良の作に反映している性格は、濱田から聞いたこういう話から集約されるだろう。佐久間は最近日本民藝館を訪れて、ニューメキシコの〝ブルトス〟――マリア・グァダルウ

皆川マスと（右からマスさん、河井寛次郎、柳宗悦、リーチ）

ぺや聖人たちや、少年時のキリストまたは十字架で血を流している苦しみのキリストを表した教会の彫像や絵像——に深く打たれた。それらは、信仰篤い人たちによって作られたもので、今日のローマ教会のぞっとするような像とはまったく対照的である。どうやらそれらの厳しさに心を満たされたらしい彼は、帰ると轆轤で粘土を挽きつつ、手で形を作って、数個の像を作り始めた。それらは不思議に感銘を与えるもので、中の一つは、両手で箱の両側を支えるような姿に作られていた。

濱田がその意味を尋ねると、佐久間は答えて、「手は祈りへの道で心を支えているんです」と言ったそうだ。私は共感の笑いで揺すられ、柳は以前聞いた素朴な田舎の老女の話を思い出させられたと言った。その老女は、どうしていつもキリストではなくマリアに祈るのか、と問われて答えた。「私にはキリストに祈る値打がありません」と。

この話から、私は二十歳のときの初めてのローマへの旅を思い起した。ひとりで歩き廻っていたら、思いがけず小路からセント・ピーター寺院の一角へ出た。夢見るような気分で、大伽藍に歩み入り、柱廊をそろそろと下りて行って、有名な聖ペテロ像を見つけた。その像の鉄の爪先は、数え切れぬ信仰の口づけで擦り減ってしまっている。私は柱によりかかって、ドイツ人の科学者がノートと計尺を持って十五分間をそれで計っているのを見ていたが、他方、蠟燭を手にした小さな田舎の老女が計測のすむのを辛抱強く待っているのに気付いた。それから彼女は像に歩み寄り、その前に跪《ひざまず》いて、減った鉄にうやうやしく口づけしたのだった。

七月三十一日

益子での月は過ぎ去ってしまった。しかし、絵を描きに行ったり、焼物を作ったりしようという気楽な気持になり出したのは、最後の数日間だけであった。これは私があらゆる人と知合になり、物のあり場所がわかったからである。すばらしい最後の食事をともにし、職人の人たちに絵と酒のプレゼントをした。

第六章　山国の旅——松本

松本入山辺の路傍で（撮影　水尾比呂志）

美しケ原

八月三日

信州の中央の山日本アルプスへ。午前五時半に起きて、七時半までに新宿駅に行き、八時の松本行に乗った。五時間の旅行。それにもかかわらず、半分くらいの時間は立っていなければならなかった。この地域の工藝者たちに出迎えられ、市長や役人たちに敬意を表するために私たちを市役所まで送ってもらった。

それから約十マイルばかり自動車に乗り、二番目の渓谷にある霞山荘ホテルに着いた。ホテルの主人夫妻や従業員たちが暖かく迎えてくれた。この人たちはみんな柳をよく知っており、私たちと一緒に夏を過ごすことを心から望んでいた。私に当てがわれたのは、最近天皇陛下が泊られた部屋で、非常にすてきで、静かだった。私はいささかきまりが悪かった。

霞山荘で（左から濱田、リーチ、柳、前は河井、左右は宿の主人夫妻）

八月五日

今朝、六時半にドアの外で声がするので、目が覚めた。「お入り」ともぐもぐした調子で私は言い、起上って見ると、女性の一群がいた。彼女らは、天皇陛下がおやすみになった部屋が見たいのだと言う。私は眼をこすったが、眼鏡をかけるまでは、彼女らがお客さんで女中さんたちではないことが判らなかった。起きたあと来てもらえないかと頼んだのだが、ひとりの長い鼻の女性は、どんどんと私の寝室に入ってきて、まるで年老いた牝鶏のように頭を一方にかしげて、じろじろと眺め廻したのである。私は腹が立ったが、彼女らは無作法のつもりではないのだということ、そして、ここは英国ではなく日本なのだということに気付いた。そして、国父に対する古い気持がいまだに残っているということを、ともかくも嬉しく思ったのである。

正面の窓からは、大きな松本平野に流れ込む谷川や、二十マイルかなたの麓の山々を見渡すことができた。目を上げれば、雲の帯や、一万フィート上空に聳える槍ヶ岳の槍のような峰、そしてそのずっと上には、空の水色の流れにのった青白い小さな月を眺めることができた。斜面にはいくつかの村落がある。横合の谷の上には「美しケ原」と呼ばれる六千フィートの高原が広がっている。この名前は「美しいヒースの原」と訳せる。その（イタリア語の母音のような）擬音的なひびきからどんな感じが伝ってくるだろう？

八月六日

二日間ばかり、私は、三人の植木師が部屋のベランダの下の方にある十二フィートから十八フィートの松の木を刈込んだり、掃除したり、形を仕立てたりしているのを見て過ごした。てっぺんから根元まですべてを検分して、若枝を剪りとったり、古くなった針のような葉をすかしたり、外側の皮を取除いたりする。枝は、副枝から放射状に広げられた細い竹の棒に好みのままに結びつけられ、それにそって形がつけられる。棕櫚《しゅろ》縄と鋏《はさみ》を帯につけた身軽な植木師たちは、場所を変える時には、調節のきく二本の控綱にすがりながら、軽い梯子《はしご》を使って位置につく。ひとりの植木師などは、今日の午前中、みっちり三時間にわたっていちばん高い松の木のてっぺんで我慢強く仕事を続け、時折煙草さえふかしていた。

大きな木にこのような技術と労働とがかけられているのを考えると、息がつまりそうになる。人はともかく、私はそうなる。その効果の本質は形式的なものであり、それはたいていの場合息苦しさを感じさせる。線や形は、活力を失った伝統に従って作られる。偶発的なやり方は排斥され、創造的な概念は、お茶や、とりわけ生花に見られるように、弱まってしまっている。だが、その代りの全面的に自由な個人主義も、同じように不毛だ。

そうなると、普遍的な理想の共通した受容の結果は影をひそめてしまい、個人的性癖や自意識的な折衷主義が、図々しさと無礼さでもってのさばってくる。もはや潜在意識的な選択が気楽に流れ出る道はないのだ。このことは焼物作りの場合も同様である。ただし、誠実で、生来創造的なごく少数の手工藝者たち——彼らとその手を、損われず規制されていない生命が通っているという意味で創造的な作り手たち——は別として。

植　木　師

八月九日

太陽の照り輝く今日の朝七時に、私は自分の部屋の窓によりかかって山の上の霧を眺めた。下の方に高さ一フィートの稲の田圃があり、その緑色

Kawai reading the morning paper

朝刊を読む河井寛次郎

の茎を通して太陽の光がきらめいていた。

濱田、柳、私の三人は、酷熱と人をさす昆虫どもの世界から三千フィートも離れた、この恵まれた山中の宿で、ここ数日間というもの、考えたり、書いたりできる時間をたっぷり持つことができた。私たちは夜早く、九時か十時に床につく。そして私は夜明けとともに目をさまし、半醒の世界で一、二時間の間気ままな考えにふけるのである。これらの考えは、夢の中のように時間や空間にはお構いなしにさまよい歩くのだが、ある程度はそれを制御し、後になってから思い出すことができる。この時はいちばんよく考えが浮び、焼物の模様や形が目の前に現われる。それはどこからやって来るのか判らないが、まるで戸を叩かれるのを待受けている倉の中から現われて来るようだ。しかし日中の忙しい間には、いつでもそれを捉えられるとは限らない。この、白昼の夢や夜の夢、直感や空想といった別の世界のことについて、どんな説明がなされようとも、この世界を求めようとする私たちの請求権は考えるよりはずっと少ないということを、私は年を経るにつれてますますはっきり感じ出している。

私たちは、その世界を見知らぬ人として礼儀として訪れる。私は、その世界が、大地に持ち帰ることのできる確信と明快さで輝いていることを知っているだけだ。

八月十一日

私は日本を離れていたこの十九年間に、この国で起ったことについて、たえず考え続けている。私は松本の商店をのぞいて見たが、木工品、金工品、染物、織物、玩具、食物などの純日本的なものは、昔のものに比べてよほど面白味がなくなっていた。私は昔の名前でいろいろと品物を注文したのだが、若い店員たちは私が言う品物を知らなかった。東京でいちばん大きな紙屋の榛原《はいばら》へ行って、エッチングに使うので以前いつもこの店で買っていた「鳥の子」や「ほどむら」という紙を注文したら、パルプ入のを渡された。そしてひとりの老人が溜息まじりにこう言うのだった。「いまはその紙は作っていません。京都でならまだよい紙をお求めになれるでしょう」。「なぜですか?」と聞くと、彼は、「はあ、私たちは生きなければならないし、輸出せねばならないのです」と答えた。私は「しかし私たちはあちらでこういうよい紙を欲しがっているのです。私はそれを捜して来てくれと頼まれたのです」と言うと、「はあはあ。でもそれはほんのちょっとの商売です」と彼は答えた。

このように大企業は、年々歳々、生活力を徐々に奪い、遺産を盗み取り、世界のほんとうの生活に貢献する度合をだんだんにおとしているのだ。

レストランではラジオがひっきりなしに鳴っている。――日本やアメリカの、くだらない感傷的な歌。濱田の家のお手伝いさんたちさえ、陳腐な麻酔剤的な音が鳴り止むとつまらなそうにする。外の道路では、「お買いなさい、お買いなさい」という怒鳴声が、店やラジオカーからのべつまくなしに耳に飛込んでくる。そしてきれいな髪をゆったマネキンどもが、日本中のショーウインドで愚かな不滅の微笑をたたえている。時々、私はこれらすべてのものへの憐れみの気持から泣きたくなった。日本の敗北の原因のいくつかを私は、しばしば目にする。不信と頼りなさと不安定感の混り合った、国民全般の西欧への礼賛、そして他方では消化不良、そのようなものから私たちは

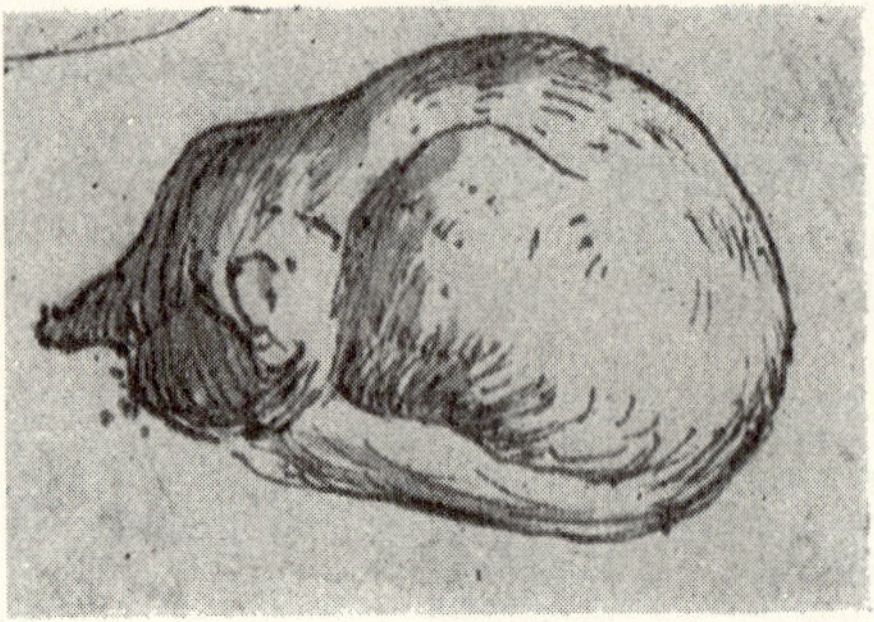

猫

自ら悩まされ、批判しようという意欲も失うようになってしまうのである。

満州族が中国を征服したとき、女性たちは纏足《てんそく》を強制された。しかし、日本の女性たちは、日本が敗北を喫する前から、自分たちの髪を自由意志で染め始めた。中国人は纏足を美徳とした。日本人は髪の黒いのを悪習だとしているのか？

柳が「東洋と西洋における焼物の道」という本（『焼物の本』昭和六十年十二月、共同通信社刊）の編者になることになったので、濱田、河井、私の三人でその資料を準備している。私たちは何日間も、朝やしばしば晩も、焼物作りについていろいろと意見を出して論議したり、長年の仕事場の経験と、到達した結論について話し合ったりした。

信州倉

今日は、一日透明釉について語り合った。うちとけた話がはずみ、いつものように、日本、英国、さらに朝鮮、中国、イラン、欧州、そして米国における私たちの個人的体験から、広い総括的な話へと進んだ。四人の間での「ギブ・アンド・テイク」は全く釣合がとれており、今までのところ意見がはっきり対立したことはない。河井は知識の宝庫であり、才気をひらめかせる。

雨が降っている。日本でも英国でも、今年はずいぶん雨が降った。生命や財産を失った人々が大勢いた。円錐形の山々と海の間を非常な速さで流れていく水の災害から、日本を守るのはなかなか難しい。円錐形の山々！　歴史上非常に重要な、そして日本人の形成に大きな役割を果した火山脈。

午後は松本へ行き、四十五人ほどの民藝協会員に地方の工藝について話をし、夜は小さい会合でゆっくり食事をした。会話は速やかでおかしく、面白い話でいっぱいだった。日本人はユーモアのセンスがない、などと言う輩は面喰《めんくら》ってしまうだろう。

八月十九日

昨日の朝、私たちは七時のバスで出発。長野まで二時間ばかりを汽車に乗り、それからまたバスで山道を曲りくねり、よろめき、ガタガタ揺られて、蒲原ホテルに着いた。このホテルは、非常に大きな藁屋根の家々がある巡礼の村、戸隠《とがくし》にある。霧と雲のかかった山並のパノラマはすばらしく美しかった。私たちはとても上手に出来ている竹のバスケットやお盆を買った。ホテルの勘定は、ビールと夕食、朝食付宿泊代をふくめて、一人前十二シリングでとても頃合だった。

帰りも自動車旅行を楽しむ。交通機関にあれこれと頭を使いたくなかったからだ。小さな村々は深い谷間の上にぶら下がるようで、靄は山々の頂きの間に渦巻いている。小さな段々畠は三千フィートないしそれ以上、連なる斜面を上っており、そしていくつかの田圃はあまり小さいので、河井が言ったように、もし農夫が干草の山をひっくり返してしまえば、どれが自分の畠か、二度と見つけられなくなるだろう。

山間の段々畠

長野に着いたが、この大きくて汚らしい駅には約束の車が来ていなかったので、濱田と河井は車を見つけに市役所前に行き、私は残って、四十五分の間、目立たぬようにして人々の群を眺めていた。九割以上の人々は洋服を着、ほとんど大半の女性は髪にパーマをかけていた。しかし、日本の女性たちは、全体として、重い帯の着物では暑さに耐えられないので、ブラウスとスカートを夏着として主に着ていることを、付け加えておくべきだろう。

ラウド・スピーカーは市民たちに向って、市の中央部で開かれているサーカスを見に来るよう怒鳴り立てており、そして実にひんぱんに「いたずらヤンキー」のジャズ編曲を歌いまくる――いや、これは米国の宣伝ではない――。そうかと思うと、大きなラッパをいたるところにつけた大型の宣伝カーが、次から次へと現われて盛んにやり出すし、そしてその間中頭の上で、新しい日本を見下ろしている青い山々の頂に向い、一本調子のガンガンする音で列車の到着や出発や連絡を放送する。

やっと濱田と河井がスマートな「リンカーン」型自動車に乗ってやって来たので、私たちはそれに乗って、とても大きなそして有名な仏寺――善光寺を見物に出かけた。建物の大きさはだいたいのところ建坪二百フィート×三百フィートぐらい。周囲の庭園にある古いみごとな樹々の間をぶらぶら歩きながら、ローマがキリストに対してそうであるように、釈迦牟尼からはるかに堕落した仏教の、いろんな商売化された徴象について話し合った。数千の人々がこのお寺を訪れる。多くの人々はもちろん敬虔な人たちだろうが、しかし大衆宗教の俗悪な商売には、洋の東西を問わず、同じように吐気を催させられる。

それからそばやに出かけ、「ざるそば」を食べた。そして私は、メニューにのっていなかったが、「そばがき」を注文した。そば屋はこれにはびっくりしながら、たいへん喜んだことは明らかである。「そばがき」は、オートミルの一種だが、もう人気のないものだ。立派な古い形の漆器に入って、取って食べるための黒の楽焼茶碗と一緒に運ばれてきたが、両方とも一行の中では誰も見かけたことがなかった。初めに醬油をかけて、次には甘い小豆を交ぜて食べた。私たちは、益子でこの「そばがき」を冷いミルクと砂糖と蜂蜜で食べてみよう、と計画した。

長野を離れ、みごとな古い藁葺の屋根をもった農家が街道筋に並んでいる愛すべき長い村落を、自動車で走り抜ける。私は北デヴォンのある村々を思い出した。自動車交通の急速な増加のため、これらの昔からの街道は消え去りつつある。道は広くする必要があるが、今までのところ、日本の特徴と美を保存するために目立った努力が払われた徴候は、ほとんどない。多くの観光客が、このような特徴や美を見るためにこそ日本にやって来るのだ、ということは論議の余地がないのに。

柏原で、有名な俳人の一茶の家を訪れるため車を止める。なんの飾りもない質素な部屋が一つ、小さな窓が上の方に一つ、通路が一つ。一茶は、苦しい生活ののち、この家で百二十年前に貧困の中に亡くなった。私たちは一茶をヴィンセント・ヴァン・ゴッホと比べて見た。残酷な継母をもった不幸な幼年時代、半ばひとり立ちができるようになると継母から逃れ、見知らぬ外の世界へと飛込む。

彼はその風土に対し鈍感には決してならなかった。彼の二行詩の中の四首を選んで訳してみよう。

われと来て遊べや親の無い雀
Little sparrow, orphan sparrow, Come and play with me.

やせ蛙まけるな一茶ここにあり
Courage, little thin frog, this is Issa who will take your part.

ほととぎす虫けらどももよッく聞け

やせ蛙

Listen, you world of insects! That is the famous voice of the nightingale.

やれ踏むなゆうべ蛍の寝たあたり
A firefly slept upon this leaf last night, Keep off Big Feet.

雲や霧を通り抜け、やっと野尻湖畔に到着。岬の準西洋風のホテルに入る。予感通りの冷淡な歓迎ぶりと、洋間よりはと思って選んだ日本間の安っぽい家具のことを書きとめておく。質のことは何をか言わんやだ。浴衣《ゆかた》は膝のところまでで、しかも私はその上から、乾いたご飯粒を摘《つま》み捨てたのである。この事実は、浴衣が前に使われたまま洗濯されていなかったことを示している。

タイル張りの風呂場には、三人の子供が入っており、小さな風呂の中で石鹸を使って遊んでいた。こんなことは日本で聞いたことがない。彼らはなおも遊び続ける。ひとりが私の問に対し「日本の風呂の中で石鹸を使わないなんて聞いたことがないや。……そう、ぼくは日本にもう十年間住んでいるもの」と答えた（日本人は湯舟の外で洗い、風呂の湯は清潔だ）。食事はまずく、どれもこれも浅薄。山の景色だけは例外だが、それでさえも、木々の間に突拍子もなく建っている赤や白の醜い小さな外国人の家によって損われている。

だがこのホテルは有名で、濱田の言う通り、お客さんのほとんどはよい家族の人たちであり、野尻の旅の報告を大きくふくらませながら帰るに違いない。ここには、あれやこれやの快適さが欠けているのではなく、生気がまったくないのだということに私たちの意見は一致した。あらゆるものはすべて二つの世界にはさまれた幽界にあって死んでおり、そして亭主もお客もこのことを知っていない。

ラジオのための短い録音をし、そこで私たちは、すばらしい日本のホテルと野尻のそれの経験を対比させた。いろいろな方面に適応させられる結論なの

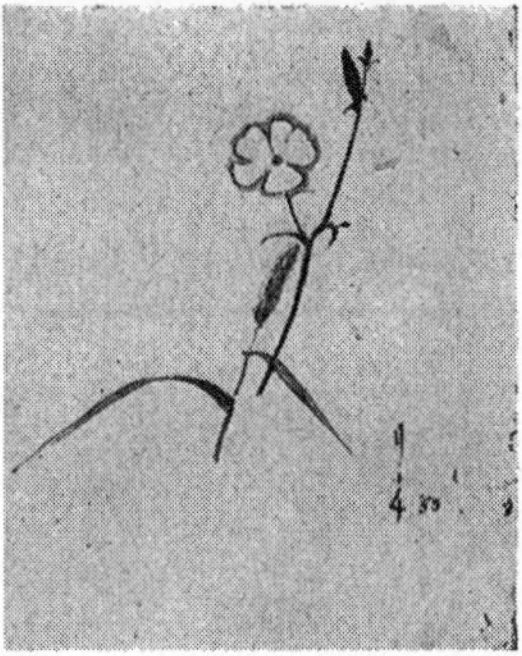

松本草

で、この経験に触れたのだ。工藝の分野では確実に、東と西の融合がよいものであればすべてうまく行くが、何が良いものかの理念を誤れば押しとどめる何物もないのである。

最後の旅程。松本からバスに乗りホテルへの帰途につく。車内では、頭の上の低い天井からもろに、ラウド・スピーカーが株の値段やポピュラー音楽をがんがん放送する。実際、耳が痛くなる。私は誰か抗議をするかと思って我慢していたが、しばらくすると河井の声がうしろの方でして、運転手にスイッチを切るように頼んだ。なんの注意も払われない。河井がもう一度、そしてさらに繰返すと、ピシャリとスイッチが切られた。すると誰かが「消さなくともいいよ、小さくすれば」と言ったが、運転手はむっとしていた。いままで誰かが、この運転手に彼のおもちゃを鳴らすのを止めるよう頼んだことがあるかどうか、疑わしい。

そのバスから下り、親切な気持のよい日本旅館の行儀正しい女中さんふたりに迎えられた時は、なんと嬉しかったことか。彼女たちは私たちの荷物を運び、旅先での出来事を聞きたがった。

風呂と夕食をすませてから、たいへん大きな冷えた桃を食べた。これは倉敷の大原氏や竹内氏から大きな箱に入れて送られたものだが、いままでこんな大きな桃を食べたことがない。

日本の果物の多くは、樹上で防水紙の袋を被って熟す。初めて見た時はとても奇妙な印象だった。湿気の多い、早く繁茂しやすい火山性の土の上で、西洋の果物の香気をそのまま残すのは難しい仕事だが、しかしそれにもかかわらず、果物の栽培は十八年前よりもたいへんな発達ぶりだ。リンゴ、イチジク、ナシ、ブドウ、メロン、オレンジ、カキなどなど。そして種なしスイカが、柳の末子の園藝家宗民君によって普及している。

『焼物の本』のための論議は、土、窯、釉薬その他に関する意見や知識の交換に集中された。そして、哲学における通常目的とすること、宗教の及ぼした影響、東西の交流、日本人とヨーロッパ人の藝術と生活の現状、歴史、伝統に与えた科学の効果、藝術教育、その他焼物の本とはあまり深い関係があるとは思われないような多くの問題が話し合われた。

陶工の小さな窓からの眺望がこんなに広くなければならないということは、不思議に見えるかもしれない。だが、経験ずみのどんな題材でも、全体に向かって深まるものであり、そして昔からの地方的な伝統が至る所で崩れ落ち、新しいものがまだ形成されていないこういう時代には、たとえ不適当であろうとも、私たちのようなグループに、新しいもっと普遍的な価値を探すため、多くの分野に手をのばすことが強いられているのである。

八月二十三日

用意してもらった自動車で、長野の松本渓谷沿いにドライヴをする。この渓谷は、日本のちょうど中央部を五十マイルにわたって横断しているはずだ。田圃には稲がみのり、その上をツバメが時には銀色に光り、時には赤く白く飛交っている。長く並んだ手入れのいきとどいた部落を走り抜ける。この村には、間口と奥行が五十フィートばかりのきれいな家が並び、その屋根は雪の深い山地に適するように奇妙に平たく広がっている。道の両側には清流が走っているが、昔は道の真ん中を流れていたという。

年輩の学者である横山氏を訪れる。氏は農民たちに交って、きわめて簡素な隠退生活を送っている。昔の絵巻や色摺本などを出して見せてくれたが、それは三百年ないし四百年前のもので、西洋の美術家にとっては残念ながらなかなか見ることのできない種類のものであった。

自動車はそれから道を諏訪湖が見下ろせるところまで登りつめ、さらに古い下諏訪の町まで下り、伊藤氏の家に着いた——氏はこれが書かれる前に不幸にも急死した——。彼は二種の御馳走で私たちを歓迎してくれた。二階の部屋の中国の敷物の上に焼物のすばらしいコレクションを、そして別の部屋には食事を用意して。その中にあった高麗青磁碗は、中国青磁からの発生を明瞭に示していたが、朝鮮の釉がいつも概してそうであるように、静かで美しかった。

中部日本のこの山の中で、私たちは以前の日本に帰ることができた。このホテル亀屋は、有名な諏訪神社に近い古い一角にある。私たちが泊った部屋は、昔封建領主が旅行するさいに使われたもので、そこから庭が見渡せるが、それは何世紀にもわたる刈込みや手入れによってこそ造り出されたものだ。それはまるで舞台の光景のようで、磨きのかかった廊下を伝って予期せずその部屋へ入った時には、思わず息を呑んだ。

風呂と夕食をすませた後で、当世風の野尻では見られなかった、昔からの看板や建築様式、その他のものを鑑賞しながら、徳川時代の面影が残っている街をぶらぶら歩く。伊藤氏は、諏訪神社の神主《かんぬし》と市当局の対立勢力に昔の反目を水に流させ、神社の一部をこの地域で発掘された古代の宝物を展覧するための博物館にするよう、双方を協力させることに成功した。そして見事に実現したのである。そこには、紀元前三〇〇〇年の縄文式土器から、紀元頃の弥生式土器、紀元六〇〇〇年代の埴輪などが所蔵されている。

かかし

ここ数年の間に、日本の焼物の源がはっきりして来ている。これまで、十七世紀の秀吉による破壊後の朝鮮陶工の流入が強調され過ぎていたが、今は、中国の唐・宋の焼物が先立って模倣されたこと、交《コー》趾《チ》シナからさえ影響が来ていたこと、さらにアイヌがこの島を占めていた以前の先史時代に遡って、縄文と呼ばれる無釉手捏ねの焼物の高度の発達が、未だわずかしか知られない人々の間で行われていたこと、などが明らかになりつつあるのだ。

八月二十五日

夜おそくベッドに入る。疲れ切ってしまった。私がなぜこの二、三日調子が悪いか多分説明できよう。消化器系統が参ってしまった。

松本を通って帰京する途中、山崎氏を訪れた。氏は今年八十三歳だが、小鳥のように快活な人だ。骨董商なので、彼から骨董品を二、三買った。私は彼の肖像画を描きたかった。河井は、私がこの時に買った焼物の一つ、古瀬戸の湯呑を日常のお茶飲みに使っている。

その途次、私たちは二つの作業場で暫時過した。そこでは、職人たちのグループが堅い材木を使って、椅子、テーブル、その他の家具を作っている。私に意見やデザインを求められたが、木工には慣れていないので易しくはない。しかし西洋の生活や家具のことについては、彼らよりはるかによく知っているので、いろいろ言うことがたくさんあった。私はこれらの熱心な聡明な職人たちと一緒にデザインを考え出したが、それは単純で簡単なものだった。ウィンザー・チェアが一対、それは私たちがアメリカ東海岸で見た、もっと軽いもっと上品に変形したものを参考にして伝統的な英国のデザインを修正し、それを基礎にして作ったものである。

またいくつかのテーブルと、ごく少数の挽物の木のボタンもデザインした。彼らの元のデザインをもっと単純化し、暗い褐色に塗ったりする代りに、木地の色に語らせる機会を与えるようにしたのである。我々の暗い旧式の習慣がこのような土地にまで滲み込んでいるとは、まったく不思議なことだ。しかも、この地方伝来の建築物では木がそのまま、最も高度に認識されており、油も塗ってなどいないのだ。しかしながら、多くのものは逆に動いている。

八月二十八日

標高六千フィートのこの美しい山の頂きには、雲がもくもくと渦巻き、草地にしばしたゆたった後、やがて消え去って行く。泡立つ渓流と、谷間にうねる稲の段々畠の上に聳え立ついかつい山肌の尾根のあたりには、かすかに霧がたなびいている。せまい畔道を農夫が馴れぬ牝牛をひいて行く。私の窓下の屋根には桜のわくら葉が散り落ちている。また一葉舞い落ちた。

リーチの協力した家具

山間に点々としている村落の曲り角ごとには、地元の石で作った敬虔《けいけん》な彫物や、形のいい自然石に深く刻まれた碑銘がある。

これは民俗の表徴や、仏教人生観を表わしたものである。彫り物は稚拙だが、出来がよく、中国の六朝や、日本の推古時代のような六世紀から九世紀の間の大いなる時代に似つかわしいものさえ、時にはある。だが、十二世紀の欧州の彫刻家やステンド・グラス作りと同様、これらの彫刻師の信仰心の真実さは、いかなる美的価値をも超えている。

九月一日

今日、私たちは山頂へ登った。この頂きは、私が小机に向ってこの一文をしたためている時、窓の向うの山脇の渓谷の靄の中から時折顔を見せていた。国産の車が、英国車のスプリングやギアだったらとうてい堪えられまいと思う岩だらけの山道を、標高三千五百フィートの地点まで私たちを運んでくれた。それから四時間、石ころ道をゆっくりあえぎつつ登って行った。年のせいで太っている濱田と、私にはたいへんな難行だった。

休んでいるとき、私はささやかな絵を描いた。ここ数週間来、雨模様だった空もどうやら私たちには親切だった。松本の大渓谷を横切る日本アルプスは、かろうじて一瞥した程度だったが、暑い日照りの下で、近くの渓谷や湖などのすばらしい景観に接することができた。頂上には、数軒の山小屋と無電局と青い松虫草が一面に生い茂った「美しケ原」と呼ぶ緑の高原がある。登る途中、野生のあじさい、ははこぐさ、仙翁《せんのう》、あきのきりん草、あざみ、きんせんんか、まるばぎきょうなどの花が咲乱れ、またひおどし蝶、さふらん黄蝶などのめずら

石の河原の馬たち

しい蝶々も飛んでいるので、英国の片田舎を思い出させるものがあった。

下りは別の遠回りのルートによった。ここはごろごろした石ころの多い稲妻型の道で、やがて私たちは牧畜場やキャンプ用地、そして何エーカーという立派な芝生や、白樺や石の渓流に出て、新鮮な牛乳を堪能するまで飲んだ。全部で私たちは約十二マイルも歩いたので、また車に乗り、風呂と夕食とベッドへ帰るのがとても嬉しかった。

数日前の夕刻、私たちがトゥルーズ・ロートレックの生涯を描いたムーラン・ルージュの映画を見に行き、談たまたま東洋と西洋との男女関係に及んだとき、河井は「これは日本人の胃にはチトもたれるな。西洋人はくっつき合うが、私たちはさわっても、離れる。……むろん今じゃ万事が、変り目だけどね……」。私がこれはいちばん重大な変化だねと言うと、彼はうなずいた。「その点、米国の婦人がいちばん飛び離れているようだね」と柳が言葉をはさんだので、私がすかさず「もっともっと『解放』された日本

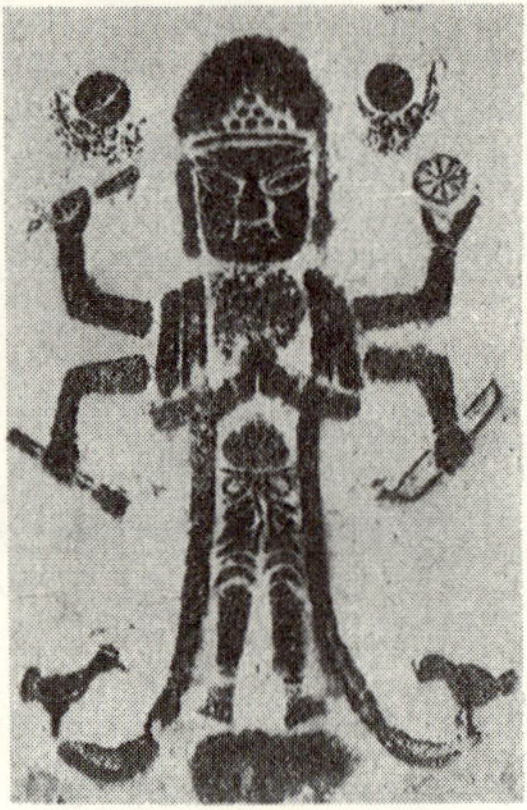
青面金剛（拓本）

女性にも何人か会ったよ」と言うと、一同どっと笑いこけ、ああした女性には我慢がならないということを認めた。河井は、回教徒圏からずっとこちらの東方諸国では、昔から男女をはっきり分けており、昔の日本では男女七歳にして席を同じゅうせずという風があり、仏教は女子は済度し難しと教えていた、と言った。

私は、そうした一般の信念とその社会的な結果は果して釈迦自身に責任があるのかどうか、と尋ねた。河井はさらに語り続け、肉体的な意味では西洋式の態度の方が自然だが、日本人の社会的態度が将来どうなるかは、私たちにもよく判らない、と言った。昔の日本人の男女関係が表面上は冷静であるため、この結び付きのほんとうの密接さをぼかしてしまったのだ。女はもっと「女らしかった」し、生活にも、もっと分別があった。そして女は、ある意味では、もっと貴重だった。

九月二日

民藝の支援者で、銀行の頭取である中田氏は、英国の戴冠《たいかん》式その他の世界旅行から帰りたてのほやほやで、二晩私たちの仲間に加わった。彼はおもしろい話を聞かせた。飛行機でホノルルへ出発する前に、自分の手荷物を、許された四十キロ内にとどめるよう最大限注意し、しかも空港で八キロも超過していることを知って、いかに驚き、かつうんざりしたか、しかも、それがため約千二百円を支払わされたという話。

ところがホノルルへ到着して、手荷物をあけたとき、思いやり深い夫人が、大きな空っぽの魔法瓶にいっぱい水を入れてくれていたのを発見して、なおさらうんざりしたというのだ。私たちは大声で笑いこけた。しかし濱田が言ったように、「べらぼうに高い水だけど、立派な奥さんのしたことなら、そう高くはないね」ということだ。

今日はカラリと霽が晴れ、また日照りが戻った。二度までも同じ農夫がやって来て、稲田の狭い畦道《あぜみち》を歩き廻り、徐々に熟して行く稲を慎重に眺めながら、どれだけ傷んだかを調べているのを私は見た。

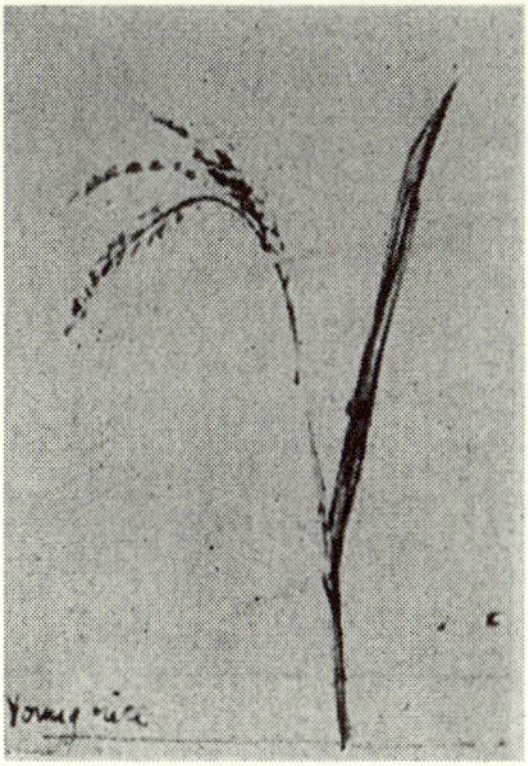

稲　穂

九月三日

今朝は寒い。きれいな女中さんが、花瓶に生けた初ものの菊の花をもって来たので、私はかがんで秋の匂いをかいだ。見上げると、丘の眺

会合（右回りに濱田、河井、三代澤夫妻、柳）

めには、何がなしにもの悲しい風情があった。小さな赤と銀の紙が稲田にはためいて鳥をおどし、古い番傘が風に揺れている。老いた農夫がまたやって来て、作物をのぞく。

今日、私たちは、今月中に仕遂げた本の仕事を再検討してみた。柳は、みんなの論議をもとにして、共同で制作する焼物の本の全十二章のうち七章の下書を、うまくものにした。私たちは、その下書を検討してみて、たがいにもっと専門的な脚注を書加えること、私は挿画を描かねばならない、とした。東京湾の向う側、房州のささやかなホテルで、さらに早春の一ヵ月間一緒に仕事をすることになる。来年の夏にも会合せねばならないように思える。というのは、私たちがいろいろな国の多様な製陶技術を探究して行くにつれ、種々異なった文化的根元から生じた形や模様や技法の動機が、ますます広く一連のつながりをもってくるからである。

こうした想像力や感覚や信念の世界をさらに掘下げて行くと、究極的には種々の宗教の信仰を比較してみる必要が起り、それ故に、私たちの手がけた仕事はいっそう手強いものとなってくる。私の光悦・乾山に関する本は、一九五四年の秋までにどうすれば書上げられるか、さっぱり見当がつかないのだが、ここに与えられた期間内にいかにしてより多くの仕事が成しとげられるだろうかと思うと、私には果しなき驚異である。

九月四日

私の思いは、またもロートレックへとかえって行く。私たちの時代最大の藝術家のひとりである彼の悲劇の胸打つ物語に、私たちは皆心を動かさせられた。彼の悲劇は、その友人のヴィンセント・ヴァン・ゴッホと等しく大きかった。藝術――世に逆らい、世を捨てた人の仕事である真の藝術――に苛まれる時、支払わされる代償はそのようなものなのだ。昔から鋭い感性をもった人々とそうでない人々との間に相剋《そうこく》はあったが、これほどまではなかった。かりにセザンヌ、ビアズリー、ホイッスラー、ワイルド、ゴーギャン、ドガ、ピカソ、そしてすべてのパリ藝術界の人物に思いをいたして、これを中国宋時代の静けさや、ルネサンスが個人の重要性を過度に強調し始める以前のイタリア藝術の正常さと比較してみるがいい。

九月五日

河井は、今朝、京都の上菓子舗によくみられる洗練と秘伝について語った。彼はとくに一つの店を例にあげ、その店では、現在の主人たる親爺《おやじ》は、長男をまる十年間というもの、みっしりとほとんどの和菓子の基本である小豆のアンコねりばかりをやらせ、絶えず監視をしては叱言を言うので、この青年は「この人、ほんまに私の実の父親やろうかと疑いはじめたほどです」と河井に語った。だがそんな期間の終り頃には、さすがの親爺もやっとこう言うようになった。「ふん、ふん、わりとようでけた」。間もなく親爺は病いを得て、世を去った。親爺が亡くなったとき初めてこの長男は、自分が親爺の試験にパスし、ほんとうの基礎を与えられたことを知った。この基礎によって、彼は古都で最上の菓子を作ったが、この人も十年ほど前に逝った。そこで、そのころ中学に通っていた彼の弟が、家業を引き継がねばならぬ仕儀となった。すると、菓子の上にてきめんに微妙な変化が現われ始めた。弟は、亡兄が父の厳格さに対して日日に感謝の祈りを捧げていた原因とも言うべき、骨の折れる十年ものアンコねりの修業をおさめていなかったからだ。

日本の料理の下拵についていては、他にも多くの話を聞いた。たとえば、丹波と京都の間の山々を越えて生きた鰻《うなぎ》を運ぶには、竹の柱に吊下げた一対の木槽に入れて、運搬人は、木槽の中の水が絶えず一定の方向に循環し続けるように、全行程を胴体と肩を絶えず一定に機械的に動かしながら運んで行くので、鰻は生きがよく、風味を保たせられるということであっ

松　本　平

松本の女鳥羽川

た。また列車が到着すると、有蓋貨車の中で水を同じ方向に循環させるための人間が雇われる。

あらゆる日本の食物の質と作りは、とくに魚の場合、今でも高く賞味され、私の聞いた多くの会話と、自身で大部分の日本食を味うことによって確認したところによると、地方色、種類、季節、そして熟練を示すところ、実に広汎である。英国でも昔はこんなことが見られたが、戦争と缶詰食、そしてその量産とが、地方の生産者と得意先との間の溝を、ますます大きくしてしまった。

九月六日

キーツの「ギリシアの壺にささげる頌詩」は、昨日柳が私に指摘したように、きわめて出来の悪い壺に捧げたものにちがいない。

私たちは松本市の丸山家で食事をともにした。彼は「煎茶」の道具と調度の完全なひと揃いを用意して見せてくれ、これについて語り合った。これは、日本では三番目の正式な茶の湯だが、ありふれた日常淹《い》れる番茶よりもっと後に中国から輸入されたものである。濃茶または抹茶の点前はこの国で発展した。煎茶の淹れ方は淡く、鋭く、文学的な香りがある。それは明の時代からの詩文や南方中国の「文人」画と関係がある。富本は煎茶の愛好者だ。この茶は煎じるもので、同じ茶の木の葉から作るが、この茶の木は施肥も別扱いである。極上の品質のものは、濃茶と同様、最も純良な葉で作り、掌で摩擦し、加熱してきわめて注意深く選別される。嫩葉《わかば》には麦藁の覆いをかけ、霜や日光の直射を避ける。極上の煎茶と濃茶は重さ一ポンド二万円もする。番茶は下等な葉で作り、乾かし、煮て、使う前に焙《ほう》じたものである。

九月八日

ここ数日来、朝は寒く、夕刻には青い焚火の煙が藁葺の農家の上に立ち昇り、垂れこめた霧の中に融け込んでゆく。晴れた日には群雀が飛立ち、何千というとんぼがスイスイと飛交い、松の木には蟬が鳴き、窓の下を清らかな水が走って行く。

九月九日

こんな山村でさえ、日本の婦人がみんな洋服を着て、真直な黒髪にパーマをかけ、一日中働きながら、日本式ジャズという外国音楽に耳を傾けるとは、いったいどういうことなのか？　たしかに奥床しい日本らしさの感情が失われて、日本自体の魂、生れながらの権利が無視され、方向が変えられてしまったのだ。こんなことは、千二百年前に中国や朝鮮の仏教が渡来したときにも起ったが、しかしそれは、原始時代から封建時代に移るこの島国の人々の暮しの表われであった。新しい宗教的な理想と、文化の目覚《めざめ》が、徐々に滲み込み、吸収され、消化されて行った。だが今日、私たちが引込まれているのは宗教的な理想主義ではなく、むしろ灰色に単一化された科学的ならびに工業的な国際主義なのである。こうして全世界は灰色に塗りつぶされるのか？

聞くところによると、中国では、数世紀来その比を見ないほどの規模の「大がかりな焚《ふん》書《しょ》」が行われたという。文人たちからの抗議によってとどめられたものの、このことが外界に知れ渡るまでに、何が失われたことか！

九月十日

私たちは、谷を下りて、飛離れたスロープの盆地の高所にある村を訪れた。この盆地の下半分は川に沿い、上半分は段状に細くなって、その先は嶮《けわ》しい松の木の繁みに至る。すべてはまだ完全であり、保存も良く、統一され、人間の手仕事がそれと判らぬうちに自然に融け込んでいる。英国のこれと同じような村によくあるようないくらかの機械類や、予想以上の電力もあった。道路、ラジオ、新聞、政治、学校、移り行く女性らしさ、家族制度の崩壊、広い意味での西洋文明、こんなものが二十年後には日本の山村にどんな影響を与えるだろうか——何を破壊してしまうだろうか？　それらはどんな真の価値をもたらすのだろう？

丘の上にぽつんと一軒、ささやかな白い藁葺の佗住《わびずま》いがあった。畦道伝いに険しいジグザグの山道をよじ登って行くと、そこにはひとり住いの尼さんがいて、喜んで私たちを迎え入れ、お茶を淹れ、簡素な食物をすすめてくれた。生まれは京都ということであった。河井はニッコリして言った。「私も京都の出ですよ」。尼さんは有名な高野山の僧庵で鍛えられた人だった。若い頃高野山でも多数の外国人客に会い、アメリカへ行かないかとすすめられたこともあったが、二十四年前にここへやって来て、それ以来弘法大師に帰依してこの寺にひとり住んでいる。「私は純潔を守り、男は知らずじまいでした」と尼さんは語った。彼女は幸福で楽しそうだった。彼女が端坐してよもやまの話をし、私たちのためリンゴの皮をむき、「またぜひお出で下さい」と言いながら、庵室から村や松本の平原を見下すときの、尼さんの健康そうな顔は楽しそうだった。

九月十一日

市職員のひとり下条氏が自動車でやって来て、私たち全員を乗せ、大きな渓谷を横切って遠い所にあるお寺を訪問することになった。この寺は資金の欠乏のため荒廃に陥りつつあった。ついで私たちはある機織《はたおり》の農婦を訪問した。きれいな広々とした農園、牝鶏、羊、アンゴラ兎、手機《てばた》、そして平和。私はふとエセル・メーレ夫人のことを思った。こんな立派な手《て》紡《つむ》ぎで手織の毛織物が、日本の諸地方で作られていることを知ったら、彼女はどんなに興味を持ち、また喜ぶことか。このはるかに離れた所で今働いているのは、彼女の影響力にほかならないのだ。

松　本　城

ついで私たちはある大地主を訪れ、その屋敷と庭を見せてもらったが、美しく品格高いものだった。古い部分は二百年以上で、木と泥と藁と瓦と紙が主な建築材であるこの地震国にあって重要なものである。玄関の外には一対のよく手入れされた夫婦松《めおとまつ》が、五十ヤードの広がりをもち、屋根の線に揃えて丘に対応して植えられている。この屋敷の一翼はおそらく長さ二十ヤードもあり、縁側の外には古い岩と池のすばらしい庭があった。大きな連丘へさかのぼる石垣をもつこの屋敷は、高く聳え立ち、松本平野から、その片ほとりの谷に私たちの宿があるかなたの連山を見はるかしていた。

九月十二日

二十人の工人との討論会。市長と松本のある会社の人たちとの晩餐会。藝者と地方の民謡、踊り。

九月十三日

東京へ戻る。

九月十四日

英国大使を迎え、アジア協会で講演、外国人約八十名出席。英語で話してほっとする。

九月十五日　益子

益子へ行く。濱田の工房に私は再び帰って来た。万事はおおらかで、心安く安泰だ。これは濱田自身から発散する、静かなる自信という控え目な精神によって貫かれており、長く変らぬ伝統の中で育まれた工人の心にも自然に影響を与えている。それでも私にとっては、仕事はおそろしく不便だ。協力と友好の感情は強いので、皆はそんな不便をなくそうと全力をあげてくれたが、私が日本での標準より背が高すぎるという事実はどうにもならない。膝を耳より高くしてかがんで床に坐ったり、でこぼこの土間に無造作においた板の上に並べた焼物の列また列の間を出たり入ったり、窯の中から熱した素焼を取出して並べたり、うずくまって絵付をしたり、釉を掛けたり、高さ一フィートそこそこのテーブルで物を書いたりするのがいとわしい。愛すべき古いウィンザー・チェアに腰かけている時でさえもだ。

ここより大人数のセント・アイヴスよりも、一年中にどうしてここでこんなに多くの仕事がはかどるのか、私にはいつも不思議でならない。我々がりっぱな計画と電力とコンクリートの床、照明、規則正しい勤務時間などによって、いろいろ試みても、自由のための知的努力の分野以外では、我々はもっと不自由である。日本人は土間にすっかり馴れ、部厚い灰の釉にも、地山からとれる種々の陶土を素足で踏んで正しくこねあげることにも、すっかり馴れている。彼らは強制して働かせる必要がない。彼らにとって仕事は友なのだ。それはあたかも、日本の田畑を目の楽園にしてしまう農民の伝統的背景すべてについても同様である。

今日濱田はこう言った。「私たちの大窯（八室）は半年ごとに焚いているが、最近、火入れ前に朝から夜半まで窯詰をしていた組が、はかがいくので徹夜で仕上げてしまうことにした」。「自発的に？」と私が尋ねると、「むろんさ。でも、私が朝早く来て見ると、さすがに皆疲れて黙りこくっていたよ」。

九月十八日

夕刻、プロの沖縄人俳優舞踊団が民藝協会の主催で伝統の唄と踊りを公演したが、それは一度ならず、私の涙を誘った。私は決してそれを忘れないだろう。こうした島の人々の心や暮しの中から、千年前の日本の姿がなお真新しく、まざまざとよみがえってくる。日本は中国と南洋に関係があるのだ。実際に沖縄人はある程度の白人の血との混血の祖先の子孫で、そのことは時々その顔容からもうかがわれる。大方の民俗音楽と同様感情はしばしば悲愁にみち、懐郷的で控え目ではあるが、日本内地のそれよりも、より直接的で、より造型的に表現されている。それは近代的虚偽に全然スポイルされないフォルムとスタイルの感覚であり、それ全体で心に訴える。

踊り子の目は決して観衆の目色をうかがうことなく、ひたすら踊りのために踊り、そこに礼節と高い儀式性がある。繊細な官能の緊張はあるが、少しの挑発性もない。こうした人々が荒された彼らの小さな島をいかに愛していることか。私は、ヘブライ人の唄やアイルランド人の踊りのことを思い浮べた。音楽や踊りは沖縄人の感情生活のはけ口なのだ。彼らの歴史は、寂しく、虐げられ、そして朝鮮人のように隔てられているのである。

九月十九日

全県下から集まった学校の先生二百名に松本の大学で講演。柳は益子と仏教の核心について、私は今や重大な脅威を受けている日本の伝統の教育と根源について、語った。私たちの近代の教育が、ほとんど無意識にその努力において手と心の問題をいかに忘れ去って、ひたすら工場の仕事台と事務所の机へ人間を供給しているかについて述べた。私はまた、現在の美術学校の訓練ぶりがどんな価値があるかという問題をも投げかけ、どれほどの立派な現代美術家がそんな方法で生み出されているか、についても質問を呈した。

またも私たちは、満員の公会堂で沖縄の舞踊と音楽を観賞した。

演技の途中で、新聞カメラマンたちが〝ご免を蒙って〟舞台に飛乗り、踊り手と観客の間に立ちふさがってフラッシュを焚き始めたのに、私はぞっとした。外国人から見ると、それは顔をそむけたいほどの野蕃なことで、私は衝撃を受けた。そしてこの観客たちも、少なくとも安らかではなかったと言わねばならない。

総じて、日本の報道陣の厚かましさは、私が訪れたいかなる国とも比べ得ぬものだ。疑いもなくこれらの男たちは、彼らに求められていることをしていると考え、おそらくハリウッド方式の現代的な行為と思っているのだろうが、そのレヴェルにおいてさえ、いっそうカリカチュアだった。

九月二十日

日曜日。日本アルプスの高山へ。

私たちはバスに乗って、さよう、英国人なら一見しただけで「不可能」と言うとしか私には思えない道を登って行った。あの壮大な峡谷を二時間で、十五ないし二十マイルよじ登ったので、とにかくこの道は、私たちのお腹をマカロニと化してしまった。ここはずっと前に、私がひとりで徒歩で下りたところである。山々は一万フィートの高さに聳え立ち、突出た岩が頭上はるか先のほうまでのしかかり、激流は真白にたけり、時には足元に、時には眼下一千フィートのところに忽然と現われ、私たちの車の外輪は、しばしば路肩からわずか数インチのところを走る。道は単線で、いくつかのトンネルがあり、私の坐っていたバスの座席は、岩壁をすれすれに毎時十五ないし二十マイルでかすめる。

他のバスやトラックに出会うと、こちら側はどうしても底知れぬ崖の上に車の片輪をひっかけねばならない。私たちは飛上がり、落込み、よろめき、競走し、休止し、後退した。だが人々の言によると、今までに一度も重大な事故は起らなかったという。

それにしても、長年にわたるやわらかい水の摩擦が、数千フィートの花崗岩をなんと浸蝕することだろう。地滑りの大きな傷跡と、岩や小さな砕石が積った石場があるが、その上部には見透しのきく緑のトンネルとなり、眼下には滝の筋が流れ落ちるレースのように岩を縫い綴っている。私たちがついに、高く離れた渓谷に辿りついたとき、空気はダイヤモンドのように澄み、羊歯《しだ》、こけ、杉、白樺が生え、種々の大きなあざみが紫色に満開だった。私たちは乱刺しになった枯木が膝の深さほどのところに立っている、真白い川のほとりを歩いた。この枯木は頭上高く噴煙を吐く焼岳の大爆発で爆砕されたものである。私はひとり歩いていって、陽光を浴びながら白い石英の砂地に横になってひと眠りして目を覚した。野生のままの嶮しい木立の上高々と、電線がかかっている。早朝、ホテルで私たちは、槍ヶ岳の上にきらめくアルプスの輝きをながめ、異口同音に「セガンティーニだ」と言った。

窓下の流れ

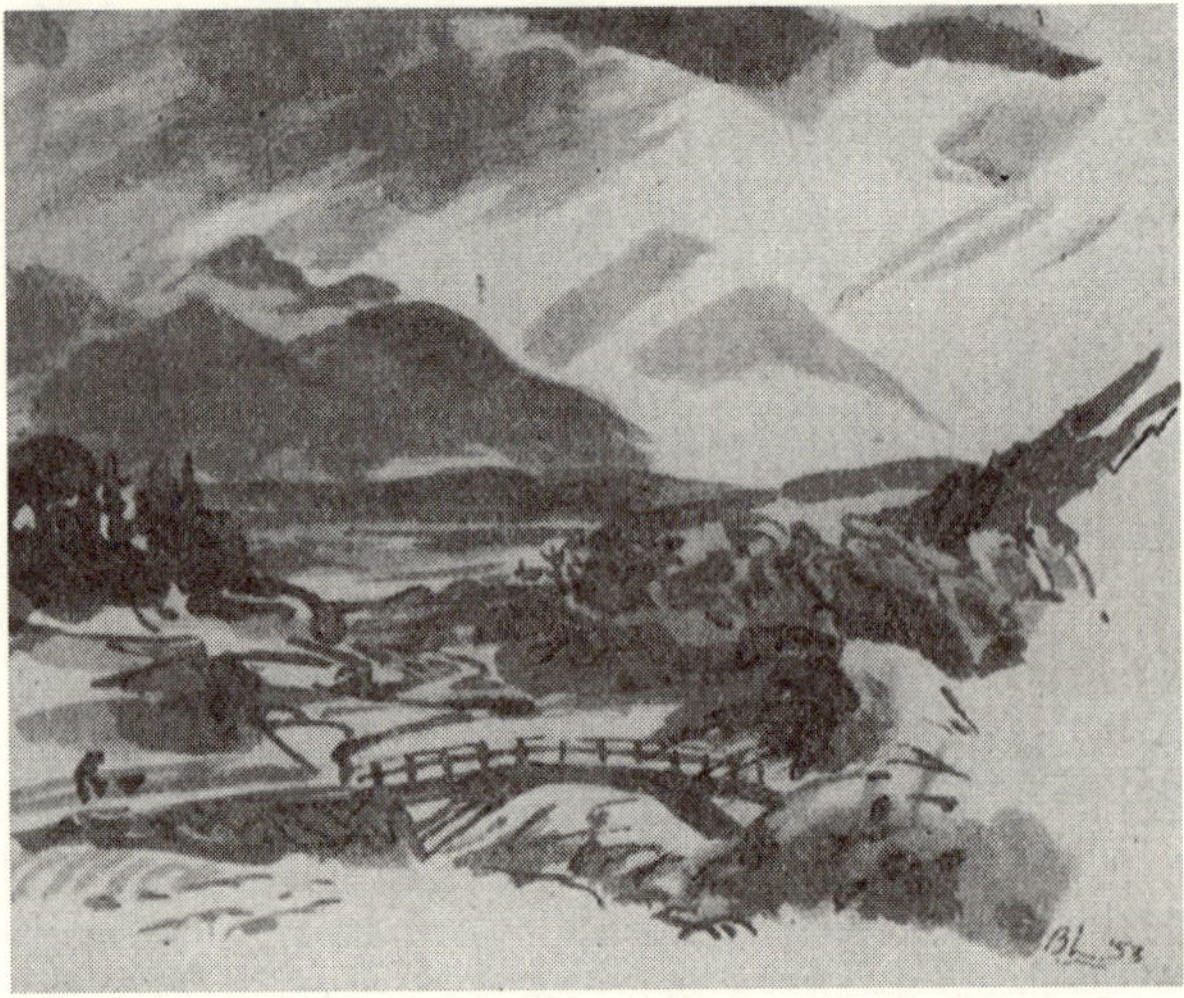

霞山荘近くの風景

九月二十二日

ある骨董商が昨日来訪、初代乾山作と言われている一対の焼物について、私と柳に相談をもちかけた。これはいずれも贋物だったので、そう言うと、その人は残念がった。片方のはおそらく私の旧師の作であるかもしれないが、二つとも初代乾山の筆の力強い、自由なタッチがなかった。世界中を横行している贋物乾山の数は驚くべきものだ。

九月二十四日

今日、私は、市当局から差し回された車で大きな家具工場を訪れ、デザインについて助言することになった。その工場には四百人の職工がいて、主としてミシンの木部テーブルの仕事をしていた。一部対米輸出品、一部は国内向けである。大きな木造建築の工場内で、どの男も、女も、熱心に働き、規律正しい西洋式の流れ作業による生産が行われていた。労働条件は堪え難いもののように思われ、労働時間は午前八時十五分から午後五時までだった。私は釣合、高さ、脚の勾配、色彩などについて二、三の実際的な提案をすることができたが、素材を

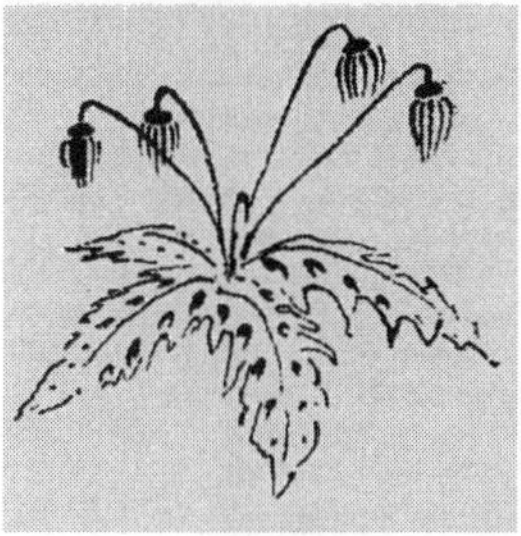

山あざみ

まったく殺してしまっているのと、生彩のない便利なだけの出来上りにはがっかりした。私の旧友、ハーバードの故ラングドン・ウォーナー博士——そのすぐれた著作「不滅の日本藝術」の書評を昨日ニュー・リパブリック誌のために書いた——の、人の仕事でいちばん必要なのは「彼を完全な人間に成長することを許し、またそういう風に訓練すること」である、という言は正しいと私は思う。

単に工業のデザインにおいてばかりでなく、もっと根元的に労働者のゆがめられた生活についても、我々は何をなすべきかということである。これほど多くの手仕事が工業分野に入り込み、残っている国だけに、何かいちばん基本的致命的なもの、つまり仕事の心といったものが失われていることが一層はっきりするのだ。我々（西洋人）は、機械の灰色で心のない世界を輸出した。そしておそらくそれは、東洋人の肉体の利益のために、彼らの精神そのものを破壊しつつある。彼らにとり、また我々にとってもの問題は、工場の仕事を生き生きさせるために何を為し得るかということである。それは私がまだ答を見出せない問題だ。私の世界のことではないが、こんなことに関心をもつのは、それが私の世界も破壊するからである。

九月二十七日

再び車が来て、同市発行の郷土絵葉書用として私が素描をできるように、松本市内外の各所へ連れて行かれた。それが終ると、下条家で経師屋の森泉さんが私たちと一緒になり、見事な手漉《てすき》の和紙をひろげて見せた。その一部は、植物染料を用いた版画で、原画は芹澤銈介氏と弟子の作、および私の絵で、これは日本式に表装されることになっている。表装は父祖伝来の寸法に則って行われる。

たとえば画の上面の縁の幅は、下面のそれの二倍となっている。しかし、床に坐らず椅子にかけた場合、目の高さに適合させるためにはこの寸法は五対三の割合とした方がよいことを、柳が発見した。こうした方式は、長い間に洗練されてきた経験の結果であることは疑いないが、また新しい必要に応じて常に破られて行くものでもある。同室の私たち四人が、はからずも同時に、この変化と微妙さという点で共通の意見に達することができたのを知って、まことに心強く、また励まされるのを感じた。

九月二十八日

さる有名な女流詩人とその友三人が突然来訪。そのひとりはよい織手とのこと。四人はいろんな贈物を持って来てくれた。食物、長い手織の絹布、古い紙に正しく書きしるした和歌など。

蝦夷松の葉末に残る雨しづく

火の見やぐら

ひとときはすがしけさの山々

食後、彼らは私に一筆、文字か絵を、と求めた。そこで私は、西洋からブレークの対句、東洋から一茶の俳句をテーマとして、四枚したためた。それから彼らは入浴して休みたいからと言って辞去し、私は市の絵葉書用の素描を描き続けた後、ひとりで最後の散歩に出かけた。数百ヤード行くか行かない間に、スケッチも半ばのころ、宿のオケイさんがあたふたと駆けつけ、お客さんがまたふたり、松本から見え、私の本を持って来て、署名してほしい、しかもその人らは私が戻るだろう時間の前に、バスに乗らなければならない、と言う。私は急いで絵を仕上げて宿へ帰り、もっと多くの進呈品や絵を描くことになった。来訪者のひとりは富本君の友人で、ひとりは富本の掛物を持参し、その空白に私の自署か画を書入れて下さらぬかと言うのだ。私は「いや、それはできません。もし書入れるとしたら筆者自身がやらねばいけない」と答えた。

日本人は物事を頼み込むのをためらわぬ場合がしばしばある。そしてとくに外国人客の場合、文化的儀礼は断るのが難しいので、私は時々困った立場になることがある。この描画の習慣や進物の贈呈は行過ぎだと思う。だれひとりそれを持たずに来る人はないので、毎週クリスマス・プレゼントを贈る負担は重い。その結果は時として面白いことになる。というのは、進呈品は未開封のまま堂々巡りするので、誰か他人から自分の進呈物をまた受取るという滑稽《こっけい》なこともある。私は、富本自身、大きな燻製《くんせい》の鮭《さけ》が新年に故里の安堵村を巡《めぐ》り廻《めぐ》ってまた元の巣へ舞戻ったのをいぶかし気に眺めていたのを、まざまざと覚えている。

その半面、私は苦心した贈物が消えてしまう習慣を見るのは好きではない。それはうわべだけの価値と便宜という灰色の迷界へ、もう一歩踏み出すだけのことだ。ついでながら、絵の贈物の素人間のそれと、素人と玄人間のそれとは別問題である。

贈物をすることは、永い間不知の人たちを解きほぐしてきた社会関係の単なる慣習の一局面に過ぎない。負荷を担い続けるのは、この道徳性に反する。贈物は、何か受けたものへのお返しか、負荷を与えるものとなるかどうかのどちらかであって、たとえ見せかけであろう

池田三四郎さん

三代澤本壽さん

とも、いつもそこにやり取りのバランスがあるのだ。

九月三十日

私には、世界中の社会状態は史上前例をみぬほど危機に陥っていることが明らかなように思われる。大宗教は、二つの世界大戦を経てもなおかつ人間性の求めを充《み》たしてはいない。そこには、新しい原子力兵器をともなう第三次世界大戦を回避できるという見通しはなく、その結果はたやすく見積ることができない。民主主義国とソ連との間に和合に達する現実的な見込はないし、長期休戦も十分とは言えない。誰もが不安で、まことに無力なので、事態に直面するのを避け、漠然と善きことを期待して日々を生きているだけだ。我々はこうした事態の原因を模索して五十年、その結果の最も近い救済策として到達し得たものは、国際連合である。生涯の約半ばを

あ　ざ　み

東洋で、半ばを西洋で送った生活から得た私の信念では、第三次大戦を避けるには今ではもう遅すぎると思う。事実、第三次大戦は必要であり、不可避であるように思われる。必要というのは、西洋人とその文明に十分な謙虚さをもたらすためである。

一般的な利益において、ある形での民主的で包括的な政府をもつ人類社会の大同団結が、社会の諸分子の外面的連繫にとって必須のものだと、比較的自由な大多数の人々が認めない限り、国際連合は達せられたことになるまい。西洋文明はますます物質的なものとなって来ており、ますます宗教的霊感や導きからはほど遠いものとなりつつある。事実、宗教は多かれ少なかれ個人的な問題となってしまい、政治的な思考で神に触れることはめったにない。我々の国際的結合の観念の基礎は、せいぜい人道主義的と言えるだけだ。価値に対するつまらぬ懸念なしで、何かの形での世界的結合を、どうすれば達成できるかが残された課題である。言いかえると、最小限の外部的骨組を内部的結合の反映たらしめるように、欲求の共同基礎工事をするにはどうすればよいかである。神にとっては、たしかに漠然とした人道主義だけでは不十分であろう。西洋に比べて、東洋は昔から光の源であったし、衰えたりとも、なおかつ物質に対する精神の優越を保ち続けた。

もし人類の結合が成就でき、そして平和が得られるなら、我々は、物質より精神を重しとみるか、精神より物質を重しとみるかいずれかを選ばねばならぬ。米国は、我々の運命を手中に握っていて、しかも世界中で最も機械化された国だから、まず最初にこれを選ばねばならない。

第七章　穫入《とりい》れの秋の本州をめぐる

穫入れ

これから、柳博士と濱田により手配された、本州の海辺に沿う道を巡っての私たちの長い旅が始る。私の行旅の大部分である。例によって、私たちは、多くは民藝協会関係の工人グループを訪ね、講話、会合、見学、談合、かつ酒食、そして良き交わりの中で自然と仕事の美を楽しみながら、できるだけ遠くまでともに旅する。

十月二日

朝八時三十五分に上野駅を出発、夕刻五時四十五分に一関に到着。すぐれた織手及川全三氏の出迎えをうけ、同夜ある民藝協会員の所有するホテルに一泊した。私たちは我孫子《あびこ》を経由、のろい列車で二百五十マイル旅行して来た。我孫子で三十五年の昔、私は柳の地所で沼のほとりに窯を持っていたことがある。列車から眺めると、少しも昔と変っていないように思えた。間もなく北の方はるか二十五マイルのかなたに濱田の益子の丘が見えた。稲の収穫は台風の尻尾に痛めつけられ、刈取って竹の稲掛《いなかけ》にかけて干してない個所では、濡れてもつれていた。藁葺の庇《ひさし》からは金色の玉蜀黍《とうもろこし》の軸が飾りつけたようにぶら下っていた。

あくる朝、私たちは、藤原時代（ほぼ西暦一一〇〇年、チョーサー以前）に建立された有名な中尊寺へ車を走らせた。この仏閣の一つ（金色堂）には、満堂かすれた金銀の漆の内部装飾が残っている。私たちは佐々木師の案内で全部を見せてもらった。十一世紀に一千人の僧侶が、濃紺の染紙に一行おきに金と銀で書いた経典原文七千巻のうち、残った四千巻も見

中尊寺の能舞台

せてもらった。立派な木彫の仏具や仏像、古い絵地図もあった。

　このほか、まずい近代画もあったが、それでも、奥州の藤原期の将軍たちが京都と対抗させるために作った古い都と、七堂伽藍の驚くべき光景を偲ばせるものだった。だが過ぎにし栄光を偲ぶよすがは、わずかその建物一つと礎石ばかり。奥州の藤原一門は衣川《ころもがわ》の柵で潰滅的敗北を蒙ったからだ。丈《たけ》の高い杉の幹と僧侶たちのゆがんだ墓石との間を見下すと、この川は青い丘の間をくねりくねって青い靄の中に消え去っている。私たちの背後には、灰色で木造藁葺の野外能舞台があり、いまでも八月の月夜には僧侶が演じるという。そんな能なら相当の黄白を積んでも見物したいものだ。

　その後、私たちは北へ五十マイル、盛岡へドライヴした。着いたのは夕刻。新築の盛久旅館では一団の工藝家たちの出迎えを受け、すばらしい食事の後、入浴、就寝まで大いに語り合った。この旅館は東京のたくみ工藝店の伊東（安兵衛）氏の設計になり、和式ではあるが、旧式な物のプロポーションは新しい生活状態に適するよう変更されていた。これは市内最上の旅館で、しかも一般向けである。

私の部屋は立派な八畳の間で、板敷の縁側にはテーブルと椅子二つ、洋服掛のついた食器棚など、鏡と低い化粧テーブルもあった。縁側の向う側には小さな三畳の控えの間があって、日本の着物用の漆塗の箱がおいてあり、他にも一つの縁側、廊下へ導く障子、お手洗などがある。装飾は単純で、全体として好みがよい。家具なしの部屋がそのまま正常だ。日本の民藝運動が人々の生活の中に入り込み、流行のさきがけとすらなりつつある証拠がここにある。英国でも同様のことが言えるようになることを私は切望して止まない。

モダンな手のこんだ装飾的な書体の掛物類もあったが、その書家がやって来て、別の作品を見せた。柳は、その人と作品をまじめに批判し、素材と制作における古い偶然的な不規則性と、新しい日本の自意識による技巧、そして知性と趣味の濫用との間には、大きな相違があることを指摘した。遠慮のない批評が加えられたが、素直に受入れられた。この近代的な抽象藝術の書には専門の雑誌があるが、不思議なことにその愛好者と相当の追随者がアメリカとフランスにいるのである。

私たちは地元の新旧民藝展で翌日の午前中を過ごした。この展覧会にはよいものが多かった。たとえば田舎の着物、籠、漆器、玩具、織物など。その中にはとても出来栄えの良いホ

田の草取り

牛と農夫

「もんぺい」の農婦

耕す農夫

ームスパン生地や、及川氏作の植物染料の染紙があった。私はいろいろなものを注文したが、その中にはエセル・メーレ女史の作に劣らないウールの感じをもつものもあった。この長い繋りで、彼女の仕事から及川氏は、羊毛の紡ぎや染についてとても多くを学んできたのである。岩手県知事と県庁主催の昼食会が催され、そこでも工藝家の集いと談合があった。

十月七日

のろい列車に揺られて六時間、本州最北端の青森へ。私たちは過労のため、うつらうつらしながら、過ぎ行く窓外の風景に目をやるだけだった。谷間は次第に開け、黄色い稲田の広がりも増し、集められた稲束は、乾かすために稲掛にかけられたり、積上げられたりしていた。どの村も賑やかに見えた。

翌日、私たちは成田という人を訪問した。この人は私たちに、縄文や弥生の土器、埴輪《はにわ》、人形、鏃《やじり》などの見事な蒐集品を見せてくれた。いちばん初期の縄文土器は前アイヌ時代よりはるかに古いもので、六千年以上の古さと推定されている。初期の民族は朝鮮半島から渡来して来たものと、千島列島から下ってきたものと、南方から上ってきたものがあることは明らかだが、彼らの文化は中国とはほとんど関連性がないように思われ、一部の縄文土器は手の込んだ特異な造形感覚を示している。昼食の前後、地元の人々のため講演してから、市役所職員の案内で車で県内二十五マイルの旅に出かけた。山路にかかるほどに、暗緑色の樅《もみ》や地上を這う赤い葡萄の蔓に対比して、秋の紅葉が山々に燃え、樫《かし》や白樺《しらかば》や橅《ぶな》、そのひこばえは英国の森を偲ばせた。私たちは高所にある池で車を止めた。この池には、懸崖にかかる美しい樹木が暗く静かに姿を映しており、岸辺の芦の上下には銀白の朽木の跡があった。頂上の山道では、樅の木がはげしい冬の雪とシベリア颪《おろし》で引裂かれ、ねじ曲げられてファンタスティックな姿になっていた。

同夜、私たちは「つた」という名のほんとうに旧式な丸太小屋で一夜を過ごした。電灯はほの暗く、いくつかの大きな木の風呂があった。翌朝、さらに十二マイル隔てた十和田湖へ向かう。これは約十二マイル四方の火口湖で、この湖のことや、その損なわれていない美しさについては、かなり前から聞いていた。ところが、私たちが観光バスの行列の中で車から下りると、たちまちやかましいパチンコ屋のジャズの出迎えをうけ、湖上には白鳥の首をつけた赤と緑の遊覧船が遊弋《ゆうよく》しているのを見た。岸辺には紙屑が所構わずばらまかれている。私たちのホテルの部屋は青空色に塗られ、私のこれまでに見たものとしては最もグロテスクなこぶのある木工品が飾ってあった。こんな日本の新風景は、まやかしであり、反感を催すし、金銭と評判という最低の水準からしても、醜悪とさえ言える。封建秩序から外国の俗悪さへの一足飛び！

パチンコ屋は、戦後の日本人の最も奇異で一般的な逃避の装置だ。この「ピンボール」屋の設置は、至る所に見られる。大方はいつも混み合い、しばしば団塊状態で、小さな町や人里離れた所でさえそうなのだ。私たちのスロットマシンのような機台が垂直にびっしり立並び、それぞれの前に、真面目な顔の労働者男女や学生や主婦たちが、レバーを巧みにあやつって、金属の玉を釘の間へはじく。時折玉が穴に入り、遊び手は煙草や剃刀の刃などを請求し、景品を受取ると、出口で現金を用意した買い手に売り戻すのである。

その間、数百の玉の落下する音と、それに合ったレコード音楽。パチンコという言葉は意味を持たないが、この騒音をうまく写している。日本中のパチンコ店の総売上高は、最近ある日刊紙による評価では、すべての大きな百貨店を総合した額を超えるとのこと。ひとりになり、しばしの間忘却のうちに、チャンスを得るゲームに遊んで、わずかに胸をときめかすこと。それは言訳のように見えるが、要するに彼らは不満なのだ。パチンコは、多分英国のトウトやドッグレースに似たもので、故に工業化された社会の一現象と言えよう。しかし私は、それも生きる道を根底から崩された、敗者たちの内的病疾の表れ、という考え方には与《くみ》することはできない。

十月九日

私たちは十和田湖を一周したのち、五十マイル隔った、中国東北部（旧満州）側に面した弘前市へドライヴした。

弘前付近

秋
やさしき灰色の波が
古木の根を包み込む
十和田湖のほとり

Autumn:
Grey gentle waves
Lapping the old root
On the shore of
Lake Towada.

渓流と
滝は
白刃の如く
たたなずく小山の内懐に

Rills
And waterfalls
Like naked swords
Within the folded hills.

私たちは、地元の工藝学校の内容を見せてもらって、東京の学校よりはよいが、まるで死んでしまっていると思った。世界的な灰色の枯渇病が、こうした学園すべての上を覆うているようだ。

稲積み

市長のランチ・レセプション。夕刻、民藝の人たちとの晩餐会と会合。

十月十一日

五時半起床、六時半に列車で出発。しかも駅頭には十二、三人の民藝の仲間がいて私たちの荷物を抱え、新潟までの切符を買ってくれた。列車で八時間の旅である。夜来の雨は晴れて、陽光が秋色の山々を斜めに照らし、穫入れた稲は束で積上げられたり、思い思いに竿や柵木に掛けられたりして、平野にすばらしい黄金色の雷文飾りを作っている。朝日を浴びて立つ稲掛は、収穫の祝宴の歩哨である。昨日私たちが荒模様の闇の中を弘前へ走って行った時、竿に掛けた稲束の行列は、まるで幽霊の軍隊のように「四列縦隊」を組み、よろめく私たちの車のヘッドライトを浴びながら行進しているように見えた。

あたりの丘はたそがれて行き、重い雲が川へ流れ、霧が立ちこめていた。連日の雨続きのため収穫物の半ば以上はだめとなり、悲しみに沈んだ農夫たちが、稲田のせまい畦道《あぜみち》を歩きつつ、一年中の食糧が泥土にまみれているのをじっと眺めている姿は、見るからに胸の痛むものだった。中国東北部（旧満州）とシベリアから吹いてくる風は、この沿岸では激しいに違いない。冬は平均五フィートの雪がつもる。多くの家は重い石を置いて屋根全体を押えている。私たちは角ばった岩の間を縫って行く。その岩の一部の畝《うね》は玄武岩で、この北西部の海岸線を縁取っている。しかも絶え間なく打寄せる波が幾世紀にもわたって浸蝕しているが、一方、日本の反対側では、この陸塊は地質学的年代の間に徐々に太平洋側へ広がりつつある。

田中豊太郎さん

新潟へ着くと、田中豊太郎氏と友人たちの出迎えを受け、直ちに百貨店へ連れて行かれた。そこでは、濱田と私の焼物、素描など新旧作品をとりまぜた展覧会が開かれていた。ついで私の日本語の短い放送と、柳、濱田と私の三人の間で、長い速記つきの討論が行われ、民藝の問題や、私たちの海外旅行中の印象などについて語った。夕刻、きわめて好ましい晩餐会が開かれた。

十月十二日

私たちは、これまでに見たうちで最も魅力のある家宅の一つで夜を過した。ここには古い領主の家と、見事に釣合のとれた、静かで威厳にみちた庭がある。この家は「下手《げて》」ではなく、「上品」だ。しかも洗練され過ぎない立派さがあり、荒けずりな田舎じみたところは少しもない。

英国でも、ジョージアン建築の極上のものにはこのようなのがあった。それは今日の日本に最も必要な資質だと思う。私には田舎風に傾いていると思われる民藝運動についても、同様である。庭には樹齢九百年の二本の大きな木があり、ゆっくり息がつける心の休まる庭園である。屋内もきちんと整理されていて、調子の崩れが少しもなかった。私たちはこの家の主人に感謝するばかりでなく、尊敬の念も感じながら、同家を辞した。

ついで私たちはある蒐集家の家で昼食の饗応をうけた。この人は多数のすばらしい焼物を集めており、ことに日本の茶人の注文で作られた明時代様式の上絵の磁器は、西洋では私たちもあまりよく知らないもので、おそらくまだその真の値打の評価を学んでいないと思う。これらのものは、私たちが上絵の焼物で連想するような、繊細で、形の整った焼物への期待に沿うものではない。それははるかに自由奔放で、生気にあふれ、作り、釉薬、絵付などの本質的な特徴が、それぞれ自己主張を許されているのである。これらの焼物は、炻器《せっき》、そしてただ炻器ばかりをもてはやす欧米の近代陶藝家の間に育まれた偏見を打破するのに役立つだろう。

午後、私たちは、他の新旧工藝品の公共蒐集品を見た。夜は、田中氏のもてなしてくれる寛いだ雰囲気の中で過ごし、見事な朝鮮の李氏王朝時代の焼物にとりまかれた蓮池のほとりに腰をかけながら、聞いていても気持のよい彼の熱心なひとり談義に耳を傾けた。私は、これらの焼物の特別の正しさ、美しさ、そしてそれの現代のスタジオ陶藝家にとっての特殊な重要性を、いっそう深く実感した。材料、形、模様の素裸な気取らない自由な処理。これら朝鮮の焼物は野の花のように育って行く。その素朴な抽象化と形式化は、まったく別個の生活態度から生まれ、私たちの自意識や計算に完全に対峙するものだ。朝鮮人とその焼物は、子供のように自然で任せ切っている。

欧州でもこれと似たようなものが十三世紀頃まではあった。当時は宗教と生活と藝術はみなひとつであり、そうした様式で生活し、働いていた人には渾然ととけ合っていた。我々は過去へ戻るわけにはいかない。より意識を強めることこそ、我々の生まれながらの権利なのだ。したがって我々の困難な任務は、新し

朝鮮の鉄絵扁壺

い融合性に対して意識を深めることである。我々が朝鮮の焼物に惹かれるのは、その融合性への願望にほかならない。

十月十三日

英国風プラス日本風の朝食。工藝館の当市分館。私たちの作品展。私の焼物の箱書。茶会。ロータリー・クラブの昼食会——ライスカレーだけ——と半時間の話合い。良き焼物個人コレクションの見物。アメリカ文化センターでの映画とスライドによる公開講演二回。再び工藝館へ。そして最後に大晩餐会と、それにつづく民藝問題についての公開討論会。おお！　忘れていた。四枚の絵を描き、新聞のインターヴューを受け、二十数葉の写真をあちらこちらで撮られる。なんという日だ！

十月十四日

北西海岸を列車で百五十マイル下り、海辺の能生《のう》という小村へ行き、伊藤助右衛門氏方で二泊。同氏とは四十年前に初めて会い、それ以来氏は私と濱田の作品を集めていた。しかし彼は富本作品の主要蒐集家で、最良の焼物や絵画を二百点以上所有しているはずだ。これらの作品は、彼の立派な大邸宅の至るところに配置されているが、私たちはそれを眺めたり、話したり、素晴しい食事を頂いたりして、時を過ごした。この人の洗練された接待のセンス

荒れ模様の穫入れ

は並はずれている。私たちが来るというので障子紙は全部張替え、蒲団綿も打直し、私の身丈に合せた絹の綿入まで作り、帰りがけにはそれを私にみやげとして下さった。富本の旧作を顧みて、その意義についてますます私たちの信念は強まった。彼は、生まれながらに繊細な鋭い純粋さをもつ藝術家で、詩人である。彼の焼物や絵画が、年をとるにつれ、より硬く、鋭く、ぎらぎらしてきた点は残念だとしても、環境の動揺で抑制された異常な天分と性格には変りがないことを私は依然認めるものだ。

十月十六日

列車で二時間、富山へ。私たちが最初にしたことは、大原氏所有のビニロン大工場訪問である。ビニロンは日本で発明され、しかも戦後発展した合成繊維である。基本材料は石灰石だ。

その長所は、羊毛の三分の一の値段ではるかにもちがよく、綿糸の三倍の強度があり、虫に食われる心配もなく、摩擦に大きな抵抗力がある。欠点は、染色にやや困難があり、しわになりやすく、織地がやや固いことだ。

だが、サージ、服地、コード、漁網、織物、ソックスなどに有効に利用されている。私のソックスもビニロン製で、ほとんど日本では靴下かがりの苦労はせずにすんでいる！　工場全体が設備もよく、従業員に対する配慮も目立つ。大きさ約九十フィート立方とおぼしきひとつの大ビルディングは、上から下まで機械でいっぱいだが、わずか八人が交替制でコントロールパネルで運転している。同夜は大原工場ゲストハウスに一泊した。これは市内のりっぱな旧家を住心地よく新活用に改造したものである。

皿の図案（野うさぎ）

十月十七日

高辻知事のレセプションと三時間にわたる講演と映画など。日本人の聴衆が、私たちの持参した、ネイティブ・アメリカンのミンブレス族の原始的な手製の無釉の焼物のカラー・ス

雨中の穫入れ

ライドを初めて見て、いかに熱狂的だったかは、注目に値するものがある。

夕刻、私たちは知事夫人のお茶事に招かれた。知事は同席しなかった。この料理はまことに結構で、夫人の手作りになるもの。この快適な邸宅の洋間には、一流の近代日本画家の作品数点がかかっているのを見て、興味が深かった。

それから数日間、私たちは、蒐集品、邸宅、庭園などを見物して廻り、饗応を受け、数回話をした後、約百マイルの国内を巡る旅行に発った。まず城《じょう》端《はな》へ赴き、大きな別院における地元の民藝協会の会合に出席した。この大別院の僧侶たちは昔からの熱心な支持者であった。再び演説とスライドと討論。男ばかりの見事な民俗舞踊を見せてもらった。この踊りは男らしい力と活気にあふれ、しかも的確で、私も参加したことのある英国の民俗舞踊と比べて、相当私の方が引け目を感じたほどだった。

十月十九日

六時に起床。再び朝日が斜めにさしてくる中に、古びた美しい村々を自動車で通り抜けた。高さ二十五フィートの黄金色の稲架の垣が盆地を区分している。やがて谷はぐっと狭まり、ついで上高地への登り道のような山峡となる。私たちの一行は十八名、版画家の棟方夫妻も加わっている。水力発電のダムへ到着し、この細長い人工湖をモーター・ボートで巡航、岩の端に作りつけた温泉宿で一服お茶にするため立寄った。日本人は風呂好きで、温泉をこよなく好む。

そしてそこで休養するためどんな山間の僻地にある温泉地にでも出かける。再び遡航して行くと、湖底から吹上げる大

五　箇　山

きな泡の水跡にでくわす。やがて別のダムと発電所。そして数百フィートをよじ登り、座席のない狭い平底船に乗る。竿で支えられ引上げられてつぎの澄み切った緑の急流に乗入れ、船底で白く砕きつつ遡る。頭上に灰色の岩がのしかかり、秋色の燃えるような崖が流れにのり出している。狭いボートに立ったままの乗客が八人、船頭三人で心細かったが、最後に岸から岸へ張った藁縄伝いに手と手を握り合わせて小石の川原へ引上げられた。最後の一、二マイルは徒歩だった。道筋のいたるところで私たちは村民に出迎えられ、公会堂へ案内される。ここでも市長の主催で民俗舞踊があり、市長自らこれに参加、手ぶりがなかなか見事であった。

次の村でも別の戸外行事があり、丈《たけ》の高い杉林に囲まれた神社の背景がすばらしかった。私たちはみなハンガリー人の友人ハール君が、この愉快な光景をカラー・フィルムにおさめてくれたらよかったのにと思った。日本の民謡と踊りは、このようにいいものなら世界の人々にも知らすべきだが、残念なことに、我々に旧式だと思われはしないかと考えて、それを恥しがる近来の日本人が多いのである。彼らは単に外来客が住民に聞くいちばんありふれた質問のひとつが判っていないのだ。「なぜ日本人はすぐれた古い伝統を捨てようとしているのですか？　我々は西洋のセコ・ハンもののイミテーションを見にわざわざここまでやって来たくはありませんよ」ということ。これはむろん、外国人側の見解だが、日本人側からすれば、今や敗戦が、長い間の孤立ののちに外部世界の生活への最後の砦まで潰滅させてしまったので、そこには深い内面的な強圧があるのかも知れない。

この休む間もない旅行の間に生じたいろいろの感情は、これを言い表わす言葉がないので当惑している。あちこちでの言葉の上や目で見た印象を書き留めておく時間は、数分足らずしかない。しかもこの数分間は、いつも長い枯れ果てた自分の膝の骨をどうしてよいか判らず、また背中をどこで休ませたらいいかも判らずに、畳の上に相当苦しいのを我慢しながら坐り、低いテーブルで書いたり描いたりしているうちに過ぎてしまうのだ。でなければ、揺れる列車の中での走り書きである。それはそれとして、見なれぬ美しいものの印象を伝える適切な言葉はなかなか出てこないし、会話の奇妙な言回しなど、早口で話している間にその微妙さをとり逃してしまう。説明を求めて皆の調子をこわしたり止めてしまったりするのは、当然気が引けるのである。

今度はなんという大変な旅だったことか。無蓋トラックに二十人が筵《むしろ》の上に坐ったまま谷を登り、ランチに乗り、平底船に乗り、徒歩で行き、広い河口から出発し、遡って山峡に入り、それが燃える紅葉の中にある分水線で小川となるまで追いかけた。それからジープで下り、日本アルプスの裏側の澄んだ秋気の中で、数時間へアピンカーヴを手荒く突っ走った。実際は、私たちは、上高地やこの夏松本から登った槍ヶ岳の高い剣先きから二十マイルも離れてはおらず、北日本一千マイルの大部分を大迂回したのである。途中で出会って多大の親切に与《あず》かった人々の数が多いのと、絶えず変化する風景のきらめきとで、私は頭がすっかり混乱してしまった。

その分水線の向うの山々にかけては、さらに深い渓谷があり、よそでは見られない大きな藁葺の家々がある。五箇山《ごかやま》と呼ばれる村である。屋根の勾配はきつく、棟の高さは地上四十フィートにも及び、冬季には十二フィートの雪で覆われるという。最大の家は長さ百フィート、幅三十フィートもある。いずれも三階建で、家族は一階に住み、上の二階は広々として養蚕のための板張にしてある。まるで巨大なムシャクシャ毛のマンモスが谷を駆け上がって来るようで、原始共同生活――狼や熊の支配する原始林に対する人間の――そのままの力強い印象を与える。狼はすでに百年前に姿を消してしまったが、熊は今なお食物を求めて下りてくる。船頭の話によると、数日前に一頭の熊が平底船へとりつき、船縁《ふなべり》をつかんだので、船頭は船から水中へ飛込み、命からがら岸辺へ泳ぎ着いたということだ。

十月二十二日

漸く海岸へ戻り、列車で再び富山を通過した。駅頭には知事夫妻が待っていて、通過する私たちに挨拶してくれた。けれども出発前に、精進料理専門の料亭で昼食会があって、ここでまたもや私に、西洋の美術家や工藝家の友人たちとこのような食事やそのもてなしをともにしたいという気持を起させた。給仕《サービス》の仕方が何よりもすぐれ、それは心の給仕であった。中国人は胃袋で食べ、日本人は目で食べると言われる。盆一つ、食物の皿一つにも、言うに言われぬ美しさ、淑やかな心遣いがある。これこそ文化の極《ピーク》みであり、その本場《ホーム》が日本にある。

十月二十三日

さらに列車で四時間走って金沢に到着。石川県知事のレセプション、昼食、講演、旧藩主所有の美しい公園と古い邸宅などを見物。それからかつて九谷焼の本場であった山代温泉へドライヴ。旅館へ着き、須田（菁華《せいか》）夫妻と会う。これから二週間、彼と共同で仕事をする。私の助手となるため鈴木繁男君が静岡からやって来た。

十月二十四日

船木氏の息研志《けんじ》君がこのため松江に近い布志名《ふじな》窯から来てくれることになっていたのが、病気になったので、柳と濱田が、鈴木君が代りとして最上と考えたのだ。私は二つの目的でここへ来た。第一は、上絵付の磁器多数を制作すること。第二は、西洋人向きの茶碗、コーヒー・セット、その他の品々の形や模様について助言すること、である。私たちにとって楽に愉快に物が作れるようできるだけの手が尽されていた。椅子、テーブル、道具、絵具を備えた静かな仕事部屋が二階に建造され、絶えず世話をみてくれる。階下には轆轤、陶土、そして必要なときはいつでも手助けしてもらえる。

須田菁華老は物静かで親切だ。茶を愛好し、昔この地方で作られた立派な古い陶器を心から賞賛している。だが、この伝統は弱くなり、きめの細かい白地と、細心に絵付をした京都ものが、灰色をした地元の陶土と、濃緑、黄、葡萄紫色の上釉の下の黒い力強い絵とにとって代ってしまった。需要が変り、若い工人は誰も仕事場に入らなくなり、老人たちはこの風潮を留めることはできなかった。子息の須田氏と、活動的なその夫人は、熱心できわめて役に立つ人々だったが、前途には根深い不確実さがあった。古い樹液はもはや創造的な水準までは高まらず、新しい刺激は多過ぎて、また不馴れ過ぎる。この窯房はセント・アイヴスにある私たちのそれと規模はほぼ同じで、三世代にわたりうまく設計されたものである。登窯は私たちと同様だが、ここのは四つの小室があり、摂氏千三百四十度まで上げるにはより長時間を要する。窯詰には「さや」が用いられ、薪は松である。

皿の図案（山羊）

柳は東京へ戻り、私はもっぱら自分の仕事に精を出すようになった。鈴木君は私の良き――ちと喧しいが――部屋に合住いして、雑用係と介添役を果してくれる。彼は元来は手練の漆工だが、高い知性の持主で、驚嘆すべき手の熟練で多くの工藝を手がけた。紙に漆を適用する方法を発見したのは彼であり、戦前の工藝雑誌「工藝」

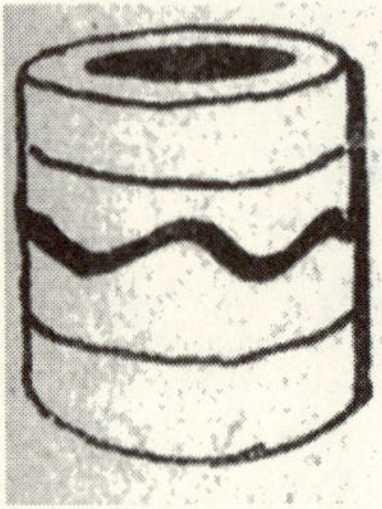

磁器の絵

の表紙画に漆のデザインをしたのも彼である。なぜ君は漆工から転向したのか、という私の質問に対して彼は、「経済的な理由からです」と答えた。

今日では轆轤にかけた木地の入手困難さはいちじるしく、山中に長い間こもり、乾かし、選択し、自分で轆轤にかける必要があり、しかもその結果は手の届かぬほどの高い値段となる。私たちの多くの者と同様、彼は何にもましてまず第一に、金に糸目をつけぬ蒐集家のための仕事はしたがらない。まだ、彼にどれほどの潜在的な創造力があるかは知らないが、私の第一印象では、創意に富む技倆を持っており、そうであるとすれば、一方において彼に作家の分野を指示することが、また他方において、もし彼が感覚的な判断だけに制約されているなら、天分の才のより穏かな受容を示唆するのが、私の任《つとめ》であるように思われる。彼は、熱心な伸びゆく精神をもっており、集中力も相当あるが、おそらく真実は、多くの場合そうであるように、右の二つの場合の間に在るのだろう。

十月二十六日

昨日私は、とくに私のため作られた古い単味の陶土に似せた半磁器体のティーポットとカップの制作を続けた。鈴木君は、筆と色釉で、私が明らかに老化した震える手で不器用に描

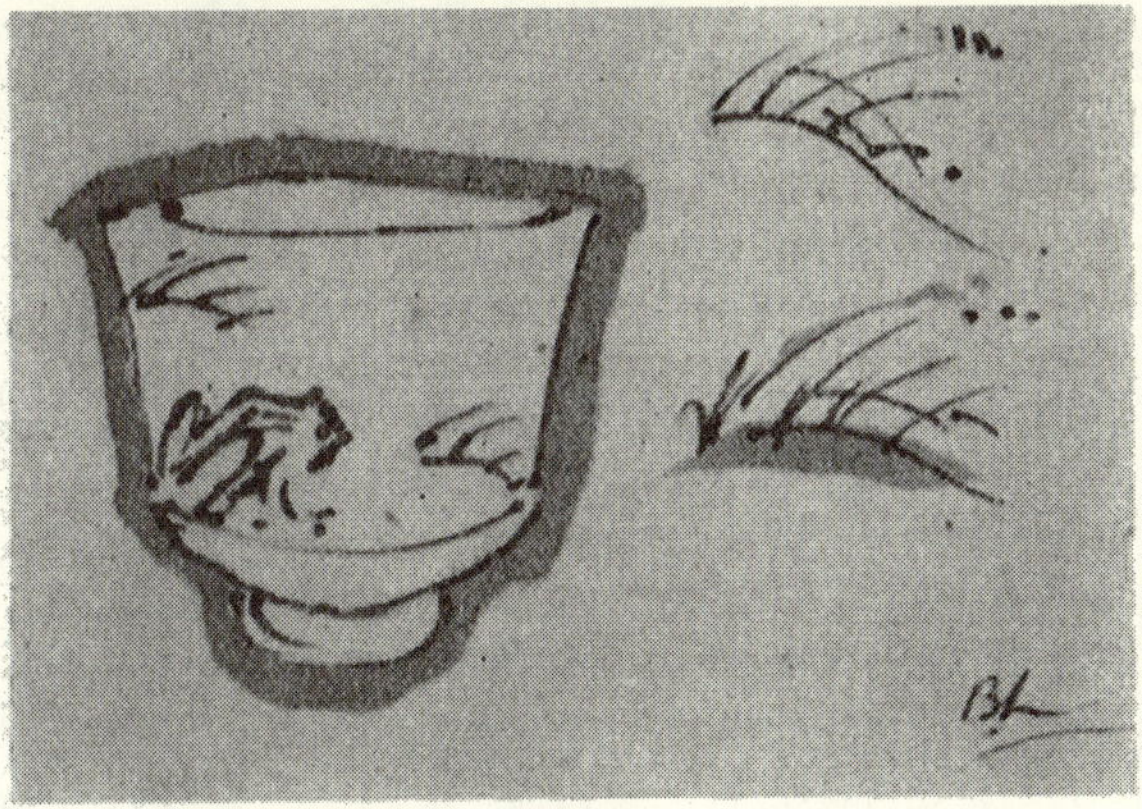

茶碗の図案

いた、掛物の軸の線模様や、簡単な繰返し模様を写した。昼食後、突然、金沢陶磁器協会員が来訪したが、狭い工房に二十人の団体が、不馴れな材料であがいている私たちを見ているよりもと思って、私は須田氏邸の広間で会を開き、そこで彼らの質問に答えることにした。その質問は、英米両国における工藝についての一般的な質問から、手と機械との関係、私の日本の印象などであった。

同夜夕食後、主人は焼物の立派な蒐集品のいくつかを見せてくれた。朝鮮の茶碗四点のうち二点は「刷毛目《はけめ》」と呼ばれるもので、黒地に無造作に庭箒で掃くように白いスリップが刷いてある。他の二点は「ととや」といい、かすかな釉薬を掛けてあって、いかにも渋いが、形は愛らしく、海の貝のように新鮮で、陶土そのままである。茶の湯や、和室の飾りものとしてすばらしい。それは、欧州人には難しい味わいだが、にも拘らずすべての人にとってのほんとうの味である。

ついで箱の中から箱を取り出し、詰物をした古い捺染の綿の袋の絹紐を解いて、初代乾山手造りの皿五枚を私たちに見せた。これは、乾山が「江戸伝書」（焼物の覚書。この翻訳は私の著書『乾山』に含まれる）の中に、普通の磁器の釉薬に十パーセントの鉛を加えたものを掛けることで、窯の各室の奥の方の比較的低い温度でも熟させられる、としるしているもので、ちょうど私たちがセント・アイヴスで発見したことと全く同じである。私たちはまた、「祥瑞《しょんずい》」手の染付磁器茶碗一点も調べた。すばらしい歌うような青さで、さわやかな、生き生きとした細かい模様が描かれていた。

十月二十七日

朝九時から夕六時まで、終日赤味を帯びた磁器質の素地と取組む。把手《とって》をつけるばかりになっていたが、把手を曲げて器に取り付けるとすぐ壊れてしまう。陶工たちは皆、彼らにとって新手法たるこの方法に非常な興味を持ち、早々にそれを学び取ろうとした。

午後六時になって、突如として七時から地元陶業者の会合が開かれるという通知があった！　急いで風呂に入り、食事をして七時十五分に会場へ着いた。鈴木君は夕食もとらず、私が着いたとき、すでに百五十人の人々にスライドを見せていた。私は若干の話をして、討論に加わったが、私たちの談がたまたま現代と昔の九谷焼の問題に及ぶと、この討論は白熱化した。陶工たちが気高い見本を身の周りに持ち得ていながら、彼ら自体の産物が、彼らの最も讃仰すると思われる本質とははなはだしく相反したものとなっているのは、まことに異常と言うほかない。

九谷で私は奇妙な事実を突き止めた。すなわち、昔の高度の熟練の名残《なごり》があって、しかも九谷のように――この点については英国のストク・オン・トレントのように――技術の背後にある巧《たく》みよりも、むしろ熟練そのものの誇りがあるこの地で、最も偏狭なものの見方と、現代陶工の全般的な地位への最少の認識しかないこと、そして新鮮な活気のある思考に対する大きな抵抗があること、を知ったのである。

ある日の夕方、濱田がまだ当地にいたとき、須田老が家宝を見せてくれた。そのうち主なものは、三百年の昔に作られたすばらしい九谷の皿である。緑、黄、紫をきつい黒線と陰影の上に塗り、それに少量の黒ずんだうすい鉄赤を加える、全体として明朝《ミン》の輸出陶磁器の影響を示すものであった。大胆で、力強く、素朴で、没個性的だった。また三脚のついた六角形の明朝磁器もあった。すてきな釉薬を厚く掛け、縁《ふち》に虫食いが出来て赤味が露出しているものである。この皿は、同時代の他の多くの器と同様、日本の茶人たちの注文によって作られたものである。濱田の所見は常にきわめて明快だ。いわく、この皿は表面を横に一筋、珪石の砂が走っている。これは焼く最中にその上にあった薪が真二つに割れたさやの間に落ちたものである、と。そして、上絵付工がいかにこの偶然の出来事をうまく利用し、中ほどにあるささやかな林地の風景を示す緑のひと刷きを生かすべく土の細粒を用いたか、を指摘した。偶然もうまく処理すれば、こうした焼物に土と火の特徴を与えるに役立つ。またこうした焼物は、非常な高熱で磁器と取組んでいる素朴な中国人その他の陶工への同情心を、使い手に深めさせることになる。ものが人間的になるのだ。

私は当地での自分の仕事には満足していない。素地や釉薬の質が比較的落ちるのと、みな薄っぺらで巧みがあり過ぎるからだ。だがそれよりさらに不満なのは、易しい、おおらかで率直かつ没個我的な伝統的工人たちの仕事の傍らに置いた場合の、陶藝家の総合的な接し方だ。私たちの立場が別なのは避けられないが、しかしそのことが、藝術家が工人をつまらぬと言うことの許しにはならない。私は、この短い滞在期間中に、土や釉薬をもっといろいろ取り替えてみたかった。そして絵付を、もっと強い、むしろ厳しいほどの心組でやってみたかった。問題の核心は藝術家の誠実さにあり、それにははげしい自己修練が必要である。私は安易過ぎるし、甘い受容が多過ぎる。日本人の友人たちは、礼儀正しくこの性質を「素直」と呼ぶ。

十月二十八日

鈴木君は柳について興味深い話を聞かせてくれた。彼は柳に勧めて、藤原時代の木彫仏二体を見るため静岡のさる寺院へ詣でることになった。鈴木君が驚いたことに、柳は入るなり、番僧に挨拶すらせぬ前に、はるか頭上の暗がりに高く掲げられている一枚の文字額に、じっと目を注いでいた。そうして、夢からさめたように、番僧に挨拶し、どうしてこの寺があんな立派な古い書蹟を所有するようになったのか、と尋ねた。

僧は答えて、あれを書いたのは若い男で、死んだのはそれほど昔のことではない、と言った。柳はますます感じ入って、終日この書の値打を話し続けた。数日後、彼は東京から鈴木君に手紙を書いて、この書を民藝館のコレクションに入れられるような何かいい方法をさがしてくれるよう頼んだ。鈴木君はそれについていろいろ思案し、そこの県知事のところに出かけて行っ

水田ととんがり小山

て、柳のほかに知事にも説得に当ってもらうようにするか、それとも県からお寺の方へ寄金をしてもらうようにするか、とも思った。

結局彼は、そのどちらの方法もこの場合にはふさわしくないと決めて、直接自分で出かけて行って僧に会った。そして数時間にわたって、柳のこと、柳の仕事のこと、民藝館のことについて話をした。しかし僧は、この若い書き手には深甚の敬意を抱いていると語り、承諾すべきでないと思うと言った。けれども、彼は沈黙し祈り始め、瞑目した。しばらくして、僧は鈴木君にこう説明した——いまこの死者の霊の訪れを受けたが、霊は柳の申入れを喜び、私にその申入れに同意してほしいと言った。で、私は、この死者の冥福こそ自分の唯一の望みなのだから、ここに喜んで同意します、と——。この僧は真言宗だったが、同宗ではこうした霊との交信は珍しいことではない。柳は「大いなる真言」(「摩訶真言即身成佛」)と自筆した書をこのお寺に贈った。

鈴木君が言うところでは、彼は製陶をやってみたいのだが、柳はそれを思いとどまらせようとし、漆を続けるよう何度もすすめた。なにしろ柳と濱田とあなた(リーチ)は自分の「先生」だと思っているのだから、と彼は言う。鈴木君はずっと戦争に行っていた。母親は爆撃で殺された。したがって彼はアメリカに対して全然好意を持っていない。十代の終り頃、私たちの仕事とつながりを持ちはじめて、機械図案の世界と大量製産の背景とを捨てた。そういうものは、自分に暖かみと喜びを与えてくれるような日常生活品を提供するものではないからと。戦争が終局を迎え、無条件降服が発表されると、彼の大隊の将校は半ば狂って、至るところ軍刀で打ちこわし始めた。軍曹だった鈴木君は、僚友の中に立って「模範を示し秩序を維持するのは、なおあなたがたの責任だ」と言って訴えた。彼らはそれを聞入れた。動員解除の後、彼はある農家に行って働き、それによって肉体と精神を保った。しかし、どんなに熱心によく働こうが、その農夫は彼のきゃしゃな体つきをじろっと見て「お前さんにゃ百姓はやれまいよ」とぶつぶつ言うだけだった、と彼は話していた。

そのころ、彼は柳の奥さんから手紙を受取った。柳が長い間病気で、命が危いのではないかと皆が心配しているというのだった。その後に、お出でを乞うという電報が三通続いて来た。彼はよれよれの軍服姿で到着した。誰なのか女中はわからず、彼は押しのけて二階に上がると、そこに柳がひどくやせこけ、弱々しく寝床に臥せていた。「君か？　生きていたのか？　帰って来たのだね」と柳は言い、その顔に涙が流れた。鈴木君は逗留して、庭中に埋められていた焼物を掘出した。東京から疎開されていた他の宝物も集めて、民藝館を

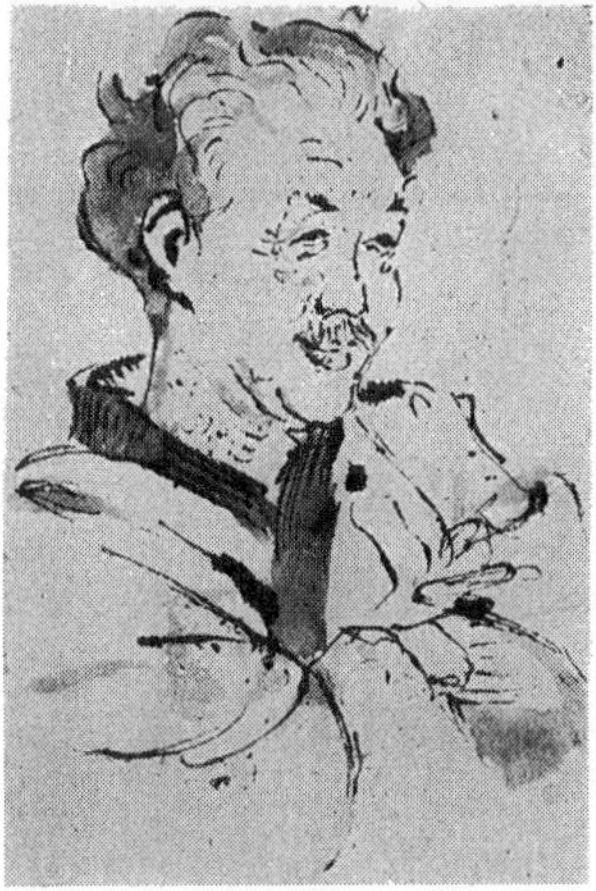

柳　宗悦

整頓し始めた。その間に、柳は徐々に回復したのである。

十一月一日

私の焼物は素焼されており、若干は釉掛して焼かれた。私は、須田夫妻のためにデザインしたティー・セットの下絵と寸法を慎重に決めた。陶工たちはこの焼物の写しを作ったが、私がかねがね彼らに説明しておいたように、影響力を吸収することと模倣とは、全く別のことなのだ。もし模倣が英国の私の故郷で困難なら、どんな活力のある感覚でも、日本でもほとんど無意味である。彼らは、自然とこうした形が生まれ出てくる内なる感情を会得することができない。たとえ私が把手の付け方を示し、付ける場所や、その理由を説明しても、その内なる感情は判らないのだ。彼らが、そばを食べるためやお茶のために使っている多くの碗がある。いずれも把手のないもので、もし活用すれば、模様も何もかも、立派な出発点として役立つであろう。粘土はまだ山に行けばある。熟練は工房にある。だが意欲や活気や天成の創意発明、わけなく理解できる地元の需要に答えること、などがすっかり枯渇してしまった。

一外国人の私が、もし数年間あの工房を預るとしたら、私は注意深い監督と奨励によって――奇妙な混血の演出ぶりだが――私の茶器セットを製作させるか、または、もっと難しい、もっと時間と忍耐力の要る、そして完全な自己忘却の何事かを試み、ひとつの小さな泉で自らの活力を再起させるまで工房を鼓舞するかの、いずれかを択《と》らねばなるまい。かりにそうしても、それは人工的なもので、いずれは枯れてしまう運命にある。というのは、事実、活力は日本の土壌から湧き上りそうもないからだ。否、東西の文化を知り、これに架橋をすることを知る能力のある濱田のような稀な人物の場合を除いては、長年にわたり醜い形のものが作られねばならぬだろう。また大多数の工人が本能的に真なるものを認識し、再びその手で真に日本らしいものを作り出すため一致して仕事し、同時に現代生活にも寄与するようになるまでは、多くの過ちが犯されなければなるまい。

現在金沢の美術学校長である森田（亀之助）氏が、ある日の夕刻やって来て一夜をすごし、私が二十一歳のとき日本に来た若いころの思い出を、語りに語った。当時彼は、東京の帝国美術学校で英語の先生をし、日暮里にささやかな家を所有していたので私がそれを借り、彼は隣室に住んで来日最初の数ヵ月間、私のお守役をしてくれたことがある。一九〇九年（明治四十二年）の春のことだった。その夏の真盛りのころ、彼と私は艫に櫓のついた川舟を借り、それに乗って一週間隅田川を遡り、愉快と不快相半ばする思いだったことがある。偶然にも初日にふたりは危く溺死するところだった。つまり艫の櫓を止めてある木製の止めが水中へ落ち、彼はそれを追いかけ水中へ飛込み、私もつづいて飛込んだのである。こんな昔の日や若い頃の友達の思い出は、まことに興味が尽きない。彼は昔と少しも変っていなかった。

十一月二日

最後の日。昨夜は、若い須田夫妻を夕食に招いて、前の晩描いた素描を職人の皆さんにと言って渡した。また、いつの場合にも私の望みを実現し先取りしてくれた鈴木君にも、一対のものを呈した。私が鈴木君に——その求めに応じて——伝えようとしたことの本質は、柳の「ありのまま」の哲学、つまり人の生まれつきの性格と能力をそのまま受入れるということだった。鈴木君の反応は、打てば響くようであった。

お別れに当って、私は仲間たちのために酒を注文し、そして来春もう一度帰って来るとき用に、素地を二百五十作っておいてくれるように頼んだ。須田老には、これまで作ってもらった焼物の代金を受取ってくれるように説得することはできなかったけれども、もし彼がなんとか適当な金銭上の取決めに同意してくれない限り私はもうやって来ないだろう、と話した。

第八章　東京——京都

能

十一月三日　東京

日本民藝館は、陳列を新たにして、再びすっかり整えられていた。実に柳だけが成し得る仕事である。そこには、私たちが海外で買い求めたものも多く含まれていたし、木工品、椅子、テーブル、ボタン等々、私が松本でデザインし監督したものもあった。数は少ないが、イギリスや初期のアメリカの伝統にもとづいた簡素で使いよいものもいくつかあり、中には思い付いて作ったものもある。これらのものは、また私が来年の夏にでもやって来たときは、新たな提案を必要としていることだろう。

イギリス文化協会で、ロバート卿とロビンソン夫人のためのレセプションがあった。彼らはかねがね私に会いたがっていた。ロバート卿は英国学士院会員であり、ノーベル賞受賞者でもある。それに出かける途中、私はちょっとした事故を起した。道路を急いで横切るとき、つまずいてさかさまにデコボコの舗道に倒れたのだ。打撲傷を負って半ば意識を失ったが、日本人は誰も助けてくれず、自分の足で再び横切ろうとしたとき、アメリカ兵が来て私の肩に手を廻し、大丈夫かと尋ねてくれただけだった。あとで説明されたのだが、日本人はどうしても必要でなければ、その人のプライドを失わせぬよう手助けをしないだろう、とのことだ。東洋では、悪く速断するのがいかに安易なことか。

それにしても、デコボコ道については、私が絶えず気付いていることが思い出される。日本では、歩くのも運転するのも、確信を持ってはできない。銀座でさえそうだ。絶えず前方に注意の目を注いでいなければならない。六インチもある大穴が、晴雨にかかわらず足や車輪に嚙みつくかも知れないからだ。そのため運転手は道を「縫って行く」ことになる。これがまた、交通規制のいら立ちを一段とかき立てるのだが、とくにタクシーの運転手などは規則違反をこそ名誉としている。それなのに事故が少ないのはまったく驚異である。私はこれを、日本人の神経の敏速な反射作用によるものと見ている。もちろん、障害が多くて、進行の度合が比較的おそいということもあろう。人々は車のヘッドライトを無頓着に横切るし、背中に赤ん坊をおぶった子供たちさえ、ぎりぎりの一瞬にびくともせずにさっと必要な幾インチかを動く。飛び出して来た自転車は戸口の方へよけ、運転手は逆の方によけて別に怒りもしないといった風で、人も物もぶつかり合うということは実際ない。

三十年前の日本には道路らしい道路がなかったことを考えると、今日では自動車、電車、バスがいたるところを走っていることは驚くべきことだ。国中の道路を建設するにはたいした時間と金がかかるが、日本はその両方ともなかった。陸地は十分の九が山で、それも火山系で嶮しい。車のスプリングやタイヤやギアは、自分たちがいったい何をするために作られているのかを納得するためには、ひどく辛い経験をしなければならなかったのである。自動車は木登り以外何でもやるのだ！

貧しい国が、西欧のそれにも匹敵しうる道路方式を、言わば一夜にして生み出すというこ

雪と松

とは、期待しても無理だが、しかし道路の維持という観念については、改め得るものだと私には思える。現在、普通に行われているのは、道路や通路がほとんど通れなくなってやっと、穴の中に種々の砂利を放り込み、後は車や人の通行が踏み固めるに任せることである。私は、経済的にはもっと早目に修理をする方が安くつくと了解している。

日本人が自転車を扱うやり方も驚くべきもので、三人乗りはごく普通である。そしてそれが——そう毎度のことではないが——洋服を着た男が下駄《げた》をはいてペダルを踏み、年老いたその母親が着物姿で荷台に四十五度の角度をなして腰掛ている場合などは、二つの時代の重なりを明らかにしている。よく見かける光景でおそらくいちばん驚かされるのは、マカロニの入った器を積み上げた盆をどこかの家に運んで行く出前持ちが、それを十二あるいはそれ以上も片手に高々と支え、他方の手でハンドルを握りながら、別に混乱も起さずに人の群を縫って走って行くさまだ——イギリスの新聞売子など、なお学ぶべきものがある。

1910年の著者と女学生たち

十一月七日

ささやかな私の個展が、東京たくみ工藝店の二階のギャラリーで今日開かれたが、開会前に焼物は全部売れてしまったので、この日まで待っていた人々の当然の腹立ちをなだめるために、ストックからもう五十点ほど集めて出した。これらの焼物はたいていが布志名でつくられたものだが、追加した予備品がまだ売れ残っているのに、それとほとんど同じ模造品が約三分の一の値段で一階で売出されているのを見て私は当惑した。ばかげた話だが、ばかばかしさは、その模造品のいくつかにB・Lという私のサインまでついている（！）のを見つけるに及んで極まった。私の抗議は、個人のデザインを模写するということに対してである。

西洋人から見ると、これは明らかに不正直であって、実際は賞讃のつもりだった、というようなことではないのだ。東洋共通の見地において、このことはどんな問題と見なされるだろうか。単に西洋個人主義が古い集団精神の秩序を混乱させ、問題をとげとげしくすることに過ぎないのか。古い秩序は、新しい個人主義者やより競争的生活に向き合う道徳規準を満たさないのである。

我々は、独奏家への過度の重視を止めようとすればできるが、指揮者なしでやれるとは言えない。デザインは相応の支払いを受けるべきで、模倣されるべきではない、というのは当然の結論である。これはすべて、模倣と統合――生と死――という繰り返された問題に帰ってくる。金銭は問題の最も重要度の少ないものだが、最も外面的であって、内面の真実を反映するはずのものなのだ。民藝の古い世界では、デザインは多くが非個人的な創造的模倣だったが、それは別の問題である。

暮しが全的な完全体で、工匠たちは、共通の蓄えと、我々が伝統と呼ぶ正しい製産経験の蓄積とから、自分たちの霊感を引出した。彼らは、暮しと仕事の中に新鮮な意想を模すことが、いや、吸収することができた。これはもうほとんど失われた能力であり、何とかして取戻さねばならない力である。

私は、柳や濱田や河井の、作品にサインをしないという原則には、満足できないのである。デザインと指導性とは、個人的な概念に依拠しており、壊れた、また壊れつつある伝統によって立つものではない。

デザイナーもまた、「その報酬に価するもの」で、利己偏重への抗議の表象という意味があっても、作品にサインしないということは完全な回答にはならないのである。創造的同化の能力が欠けている場合、単に他人のコピーを作ってそれで利を得ることは、まったく正当化できることではない。河井や濱田は、自作にサインを施さないけれども、日本中の愛陶家は、二人の作品が見るだけで判り、両者とも公共の悦びを産んでいる。そして二人は、所有者が器を保存しておく箱の蓋に名を署《しる》すのである。

十一月八日

ある特定の聴衆のための講演に大急ぎで宇都宮訪問。「制作との関連からみた現代工藝と、日本の社会」。私たちが知事や官庁関係者と昼食をしているとき、高松という夫人の名刺が私に手渡され、彼女は入って来て紹介された。四十四年の昔、彼女は、私が上野高女で教えた十七人ほどの少女たちの中でも最も輝かしい少女だったのだ。彼女は私を傍《かたわ》らへつれて行って、英語ではっきりと静かに言った——「先生、私はあなたが私の最初の英語の先生だったことを忘れていません。お礼を申し上げたいと存じます。先生の御健康と御幸福を祈っております」。

一座はちょっと静かになったが、皆が喜びと驚きに微笑んでいた。

著者と柳博士とかつての女生徒たち（1954年）

十一月九日

長野地方の学校教師百五十名に講演。この地方は教育水準が高い。聴衆の大半は、四十年前、柳が編集し、私も寄稿していた雑誌「白樺」の古い購読者だった。

私たちは活火山浅間山の近くの沓掛《くつかけ》に泊った。浅間はすでに雪を被っており、私たちが若い頃岩の峰を登った妙義にかけての山々は、見事な白い透し模様を装っていた。旅館の主人はまことの鳥好きで、この辺の山にいる野鳥の生活について興味しんしんたる話をしてくれた。郭公《かっこう》や日本の鶯の珍しい習性など。郭公は、卵を鶯の巣に置くだけでなく、そのあと、親鶯の留守に戻って来て、自分たちの雛が鶯の世話を十分受けているのか確かめられるまで、鶯の子を一時放り出すのだぞ

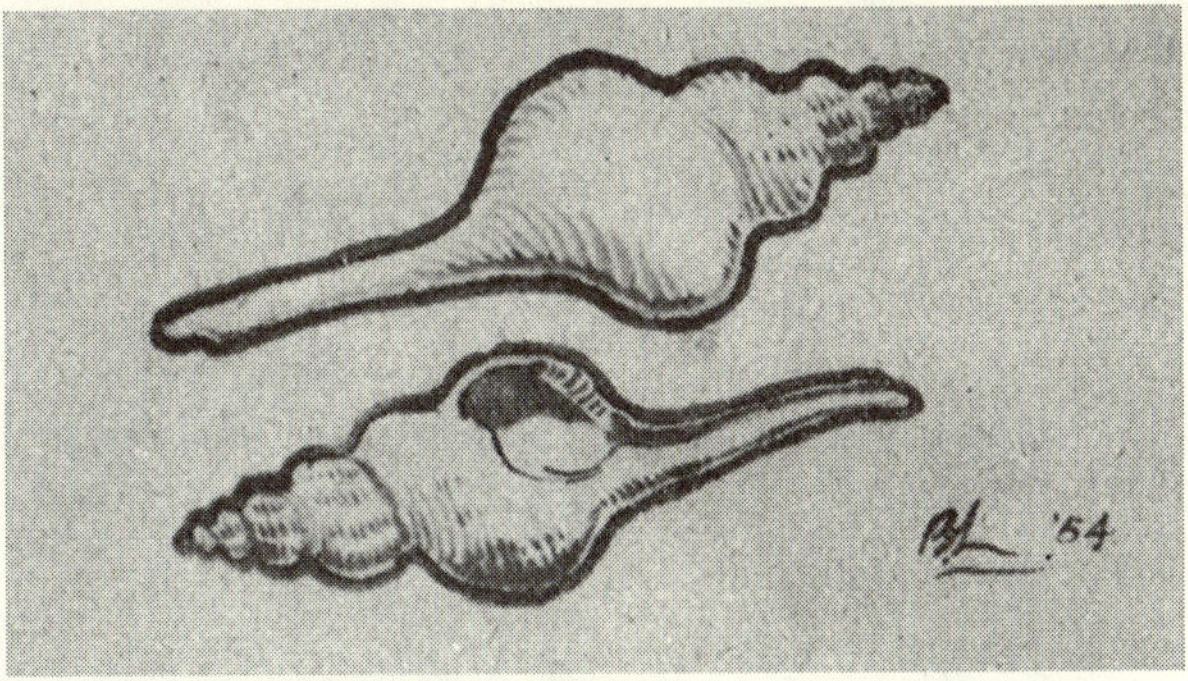

貝殻二つ

うだ！

　列車の中で、柳は「喜左衛門井戸」という茶碗の歴史を話してくれた。――これは、李氏朝鮮時代にごく普通の飯碗として作られた、古い朝鮮茶碗の中の最も有名なものである。もとは、約百年前に死んだ松江の藩主松平不昧《ふまい》公の所蔵であったが、その子息が京都の大きな禅寺大徳寺におさめ、それ以来は使用されたことがない。現代のお茶人たちは、長らく使わないところからこの茶碗は水気がなくなっていると言う。ひびの入ったところに茶が浸み込み、表面にもかすかに付着物を残しているからだが、それがまた、釉薬と露呈した陶土とに品位と親しみのある暖か味とを付け加えているのだ。

　この茶碗が展覧されるときは、幾千もの人々が遠近から見にやって来る。一週間後に茶碗はひっくり返して置かれるが、そのときもまた幾千の人がその高台（底裏の輪になった台）を見にやって来る。

富本憲吉

柳は、より良い碗がいくつもあると付け加えた。それにしても、初期の茶匠たちの明敏な目が、高い批評力の美意識によって二、三百年にもわたってずっと最高の水準に位置づけられて来たところのものを、ごくありふれた地方の工藝の分野から選び出しただけではなく、さらに、茶室の中に集約して新たな場を創り上げたということ——そしてそこで、無名の工人のこれらの傑作が新しい文化の古典となっているということ——はまことに不思議な、そしてまた興味深い事柄である。

十一月十五日

特急「はと」で大阪へ。混血の日本語をしゃべり散らしたり、テープから再生された自分の声を聞いたり、あるいは自分の写真を送られたり——そんなことに私はうんざりしている。貧困の時代に誰もかれもがカメラを持ち、何もかもが贅沢だが、私たちは不幸の崖っぷちにぶら下っている。それが今の私の気分である。そうなっているのはほんとうだ。古き日本、然り。田舎、また然り。

青森から金沢へかけての、懸命に働いたあとのあの黄金の収穫。「山茶花は、また静かに、ひっそりと花を開くことであろう」が、しかし富本が私への手紙と詩の中で書いているような時までは、まだしばらくの間があるだろう。その詩の英訳。

All people with grief
Beating each other and crying
When war come
Like hail over corn.
But the time will be
When the red Sazanka
Will bloom again
Quietly, half hidden,
Fear not that time
Will come again.

〔大意〕穀物を襲う雹のように戦争がやってきて、すべての人は、心痛めつつお互になぐり合い、叫び合っている。だが時が来れば、赤い山茶花がふたたび静かに、ひっそりと花を開くことであろう。その時が再び訪れることは案ずるには及ばない。

――この詩は一九四七年の終りに書いた。リーチに送りたかったのだが、英訳ができないので送らずにいた。――

富本憲吉

十一月二十日　京都

先月の旅行と討議のすべてを顧みて、その根源や意味や方向を探ったり、一転して、自分

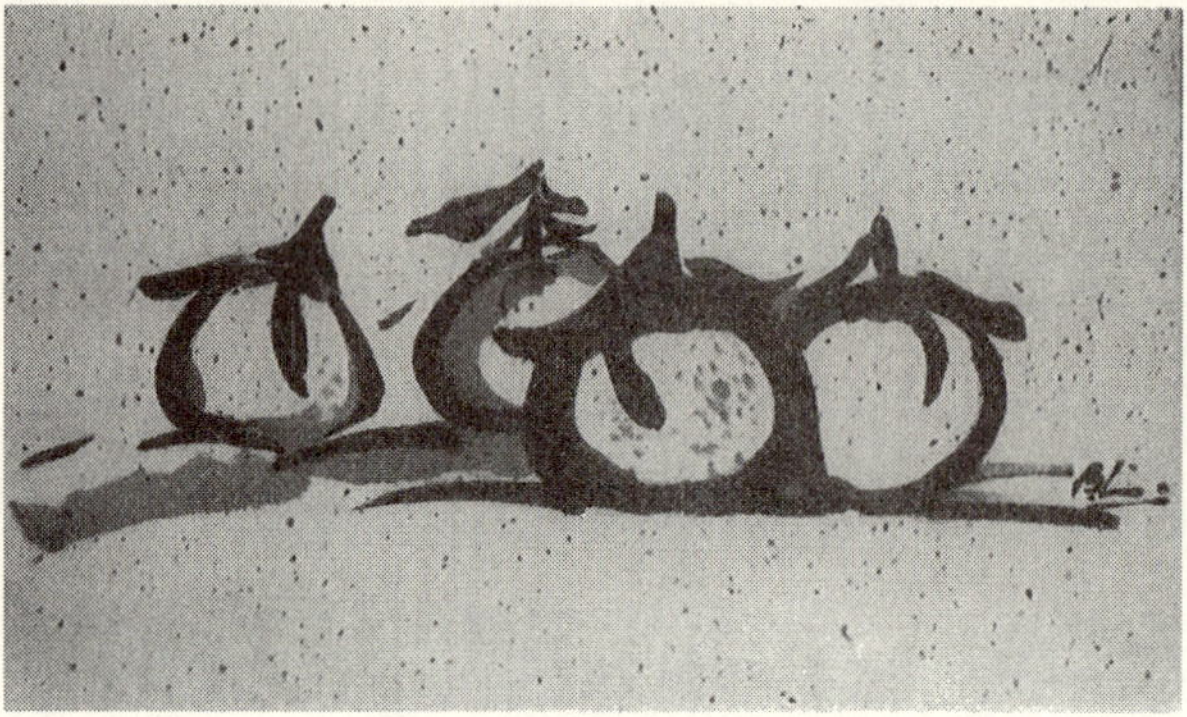

みかん

が四十五年前に初めて日本に来たときのことに戻ってみたりしている。意識水準の真下あたりに何かが起っているのだ——鈴木博士の「自力道」と「他力道」——神秘の途——Tat quam asi と啓示もしくは大預言者——仏教とキリスト教——そして最近は宗教的信念の母胎がないという自覚、そして今日の全世界的な信仰の欠乏。工藝美術家はどんな職人のチームの真の指導者にもなり得ないのであって、突如出現して別のオーケストラを編成したり、個性表現の綱渡りをやり出すような例外的人物は別として、いずれもただ自分自身の作曲のコンダクターにすぎず、彼の思想の演奏者としてオーケストラを維持しているだけなのだ。

これは藝術を通常の仕事に解放するものではなく、不十分な解決である。深い内核から外辺までを包含する偉大な信念が、もう一度世界中を吹きまくるまでは、我々のやれることのすべては鋳掛の繕いくらいで、藝術は多くのものに救済をもたらすことはできないし、神秘の孤独な道でもあり得ない、という考えが、私には逃れられないものとなって来ている。個人性なき個人の洞察力が必要なのだ。

十一月二十一日

昨日の午後、富本にそのささやかな家で会い、夕食もそこでとった。ささやかな家ながら、その中に含まれているものはすべて、その配置と言い、選び方と言い、彼自身の性格がにじみ出てみごとである。――煎茶趣味――それは抹茶とも違うし、明らかに民藝ではない。さてそのあとで私たちは、大阪の背後の小山の中の言わば一つのオアシスに車を駆った。そこは「播半《はりはん》」と呼ばれ、大阪の金持の贅沢な隠れ家である。富本はその美術方面の顧問だったので、調度品のいくつかをデザインした。私たちは凝った馳走を受け、贈物まで沢山に頂戴したが、さらに富岡鉄斎が九十歳で没する数年前の四幅の作を見せてもらった。純粋な墨絵で、みごとなもの。古い画家中の最後の人だ。

富本の心臓病は私のと似ているようで、たいしたことはない。血圧が低いのだが、神経の高ぶりでよけい悪くなったのだ。私は彼ほど神経質ではないので、神経からくる考え方に追い込まれることはあまりない。これについては、その晩面白いことがあった。国際情勢の見通しについて話し合った後のことだが、遠くで何か爆発する音が聞えたら、彼はとたんに窓際に走り寄って「始まったかな?」と言ったものだ。つまり第三次世界大戦のことを言ったのである。

十一月二十二日

翌日の午後、私たち一行は、富本家の人たちをふくめて、有名な禅寺の大徳寺を訪れた。僧たちは、幾百人かの信徒の集会の後を、きれいに掃除していた。普通の作業モンペをはいて他の者と一緒に掃除をしていた鋭い眼差しの貫主がやって来て、あなたのお仕事はよく存じていますと私に話しかけた。この寺の大きな台所を見せてもらったが、ここでは立派な精進料理が幾百人分もできるという。それは英国の中世の台所と同じようだった。私たちはお茶を喫みながら、岩と砂の庭を観賞した。こういう庭の最も優れたのは龍安寺にあるもので、熊手で掻きならされた銀砂にいくつかの岩石がきわめて正しく配置されていたのが忘れられない。厳しく、高貴で、象徴的で、禅の精神であり「渋さ」の根源である。

十一月二十三日

今日は堀内家の全家族と鷹ヶ峯に遊行。一六一五年に偉大な本阿弥光悦が京都西北の山中に設けた工藝の村である。ここの円屋根のような形の双子の山を見るとすぐに、私は光悦の硯箱の形を思い出し、彼がこれを制作したときの霊感は周囲の自然の観察から引出されたの

光悦の鷹ヶ峯で堀内家と

に違いないと思った。これらの山は、裾を京都盆地に引いており、秋の日の午後の陽ざしの中に坐って鮮かな紅葉を通して眺めていると、いつとはなく三百年の昔に帰って、光悦自身が眺めていたそのままを見る思いになるのだった。私は光悦寺の僧と一緒に、この最初にして最大の工藝美術家の簡素な墓石に水を注いだ。それから私たちは、背の高い竹林の間の小谿で区切られた寂光院の境内をそぞろ歩いた。古さびた石段、由緒ある数珠をつまぐりながら気長に念じ続ける尼僧の静かな声。

夕食会の後で「無法者」という映画を見に行くことになった。全く何たる映画だ！　北海道の森林で働く日本人伐採夫たちの間での話だが、まさにアメリカの「西部劇」の悪趣味以外の何ものでもない。三文俳優のマンネリズム。日本のではなくてハリウッドの、ひどく間違った心理描写。センチメンタルな恋愛趣味。ゲーリー・クーパーの頑丈な騎馬巡査の愚劣さ。拙《つたな》い乗り手と不恰好な馬の騎馬姿のシルエット。最初のカーヴですぐ脱線してしまいそうなトロッコに乗っての、主人公と女主人公の脱走。悪漢。材木が下方のトロッコに向かって転がり落ちるのをやっと止めている今にも切れそうなロープ。弾丸をこめる必要などさらにないような銃での撃合い。短刀をふりかざしての全員格闘と、いつまでも終らない追跡と、死の床での悪漢の悔悟。真の劇、真の演技らしいタッチもなければ、日本のほんとうの姿とはまるで無縁のものなのに、しかも観衆は約二千、満員で喝采なのだ。

おお、戦後日本。この内面の敗北に、私はどうして目をつむっていられようか？

大きい魚と小さい魚

影響を及ぼすものにとっても恥だし、及ぼされるものにとっても恥だ。

十一月二十五日

東京への帰途の静岡。別の工業美術学校──新しいが、より良くはない──で、恐ろしく長い会合、講演、映画、そしてスライド。静岡市はさらにもう一つ生命のない誤った学校のために十万ポンド（約一億円）を使ってしまったばかりである。すべてがめちゃめちゃで、あべこべであり、ほんとうの日本の「内面」などは全然ない──ちょうど、まがいものの漆器に見られる陳腐な日本的意匠の、最も薄っぺらな虚飾そっくりだ。これらの機関は、日本の工藝の遺風を、良き庭師がこの地の植木を扱うように育成する代りに、言うなれば外国の植物を輸入して、それが日本の土に向こうと向くまいとお構いなしに植え付け、しかも外国で発展してきた外来の標準に従って生長させることに努めたのである。同じことが園藝自体にも起って来ている。問題は、その果実が、場合によっては形は大きくなるにしても、風味が良くなるかどうかである。

これらの関係者は、彼らの新しい機械玩具を自慢にしている。ちょうどタクシーの運転手が、自分の車にとりつけたラジオのセットを自慢にして、お客のすべてではなくとも、その中には話しながら行きたい人もあろうし、つまらない音楽など聞きたくない人もあろうし、あるいはむしろ静寂の好きな人もあろうということなど考えもせずに、それを鳴らし続けて

朝鮮のせんたく女

いるようなものだ。

手工藝の伝統を急速に破壊しつつある諸機関に公共の金を使うということについては、少しの金額でも思慮分別をもって利用されれば、日本の手工藝の保存と活用の上に、さらには改良された工業デザインの品々と並んで手工藝品を輸出する上に、驚くべき働きができるであろう。日本がそういう改良をやるにしても、そのための努力が、日本の手作りの歴史の名残りである材料、形、色、模様に対する古来の考えを土台にするのでない限りは、まずやれないだろう。この土台は国家的財宝であり、これを投捨てることは、普通の外国人にとってさえ正気の沙汰ではなく思えるのだ。

十一月二十六日

午前二時四十五分にひどく長い地震。

曇天。風邪気はなくなったが、不快で元気が出ない。二度も焼けた静岡は、やかましくて、ほこりっぽくって、不恰好で、冴えなくて、私にはちょうど"Mile End Road《マイル・エンド・ロード》"のように見えて興味をひかれる。実際、新しい日本の否定的な面が私をひきずり込んでしまったためか、ただくつろいで、母国の言葉で友人に語り、底に流れている思想や家庭の情緒を感じるだけでよいから、一ヵ月ほど静かに英国に帰って過ごしてみたいと思う。

東京へ帰って、イタリアのある彫刻家から一通の手紙を受取ったが、それには、東と西の問題について私の書いたものの中に、北と南の相関関係が除かれているのはどういうわけかと尋ね、世界合一などという大計画より前にまずヨーロッパ自身の文化的統合こそ大切だ、と主張してあった。以下は私の返事からの数節である。

「そのことについては、我々は西欧人としてあるいは個人として、他者を理解せんがためには、我々自身の文化的土台を拡大せねばなりません。そうしないと、我々は、平衡を失って投げ出されましょう。現代の日本はまさしくそうした場所にあり、アメリカはまだ平衡状態に達していない。つまり私がいつも言っているように、まだ親根《タップ・ルート》を見出していないのです。私は、日本の工藝家たちの間でこの問題と深く関わっています。すでに西欧の影響をくぐり抜けて統合あるいは再統合に達したひと握りの人たちもいますが、大半は半焼けの藝術家、工藝家であって、セザンヌやゴッホやピカソなどにより、または近代運動《モダン・ムーヴメント》の圧倒的な混乱によって、分解させられております。また地方には約三万の陶工がいますが、彼らが吸上げるべき樹液は、ほとんど根元で枯渇しているのです。」

「私がここに来ているのは、東洋で生まれ、運命が私を東と西の間に投入れたからです。おそらく私は、ヨーロッパについてにせよ、どこにせよ、北と南というものを過小視していたのでありましょう。あなたの手紙は、それを思い出させてくれる貴重なものでした。」

「キリスト教というこの漆喰、そうです、だがプラトンとアリストテレスの跡を継いだこのキリスト教は、その根源においては非ヨーロッパ的でした。しかも、これなくして、我々が中世イギリスの水差とかドイツのベラミン陶を持ったろうとは、私には考えられません。我々に関する限り——たえず不消化の苦しみをなめながらも——ギリシアを消化したのはキリスト教でした。しかるが故に、あらゆる文化の継承者としての我々が世界的均衡を獲得するために必要とするところのものは、一つの全的な宗教概念であります。それは、西洋的な教義だけで、あるいは東洋的な教義だけで行えるというものではありますまい。なぜなら、我々は今や、かつてなかったほど組合わされているからです。もしキリスト教の概念が、二千年の昔にパレスチナの地から現われて、ギリシア思想を霊的にし個性化し得たというのであれば、新しい摂理は、より大きくそれを求めている現代において、いっそう可能なわけです。そしてその性格に十分包容力があれば、ギリシア的な、あるいはキリスト教的な、または東洋的な価値をぶちこわす必要は全くないでありましょう。」

「私が『A Potter's book—陶工の本』の中で引いたマイケル・カーデューの『ギリシアの壺』の脚注に関して言えば、そう、ギリシア藝術とは紀元前約五〇〇年までのもので、それ以後は、焼物に描かれた美しい絵と、不自然で生気のない形とに分裂し、後者は十八世紀になって、ウェッジウッドの手の中で死んだ羊肉となりました。私は、この初期の真と美とを、晩年になるまではっきり見ることができなかったことを認めます。ギリシア人は初めて史上に姿を現わし、エーゲ海の陽光の中に誇らしげに恐れず裸で立ったが、ゴート人は北方にうずくまり、槍と十字架の陰にかくれていたという、あの偽ギリシアの前景のためです。ルオーは今日、十二世紀のステンド・グラスから受継ぎ、セザンヌは南を描きました。日本人は彼を東への掛橋だと言っています。個々の人は常に現われ出ましょうが、私たちの必要とするのは、さらに大きな解放なのです。霊火が中心から周囲へ、もう一度燃えさかることです。昨年イギリスで開かれた国際工藝家会議で、私は、本質的な工藝の問題は、現在、東から西、北から南まで同じだということを知りました。」

工業的社会は、科学的で知的なものなしで精神的核心を失ってしまい、個人主義者と藝術活動は、人間性がもはや酵母とならぬところまで不毛となってしまっているように思われる。キリスト教の光は、ヨーロッパ大陸と結び付いている東方からやって来た。それまではモーゼやクリシュナやブッダの光があり、キリストのちはマホメットの光があった。そのような全世界を照らす光なしで、私たちは、人間の成熟や平安を得ることができるだろうか？

十二月十六日

年の暮が近づいて来る。京都から帰ってからのこの三週間は、一年間にたまっていた文通

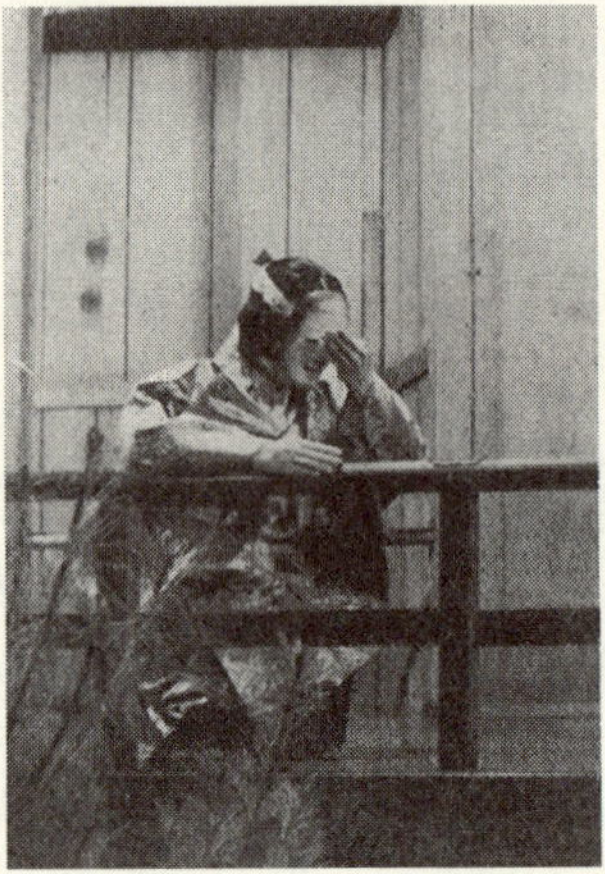

観 世 能

の滞《とどこお》りをきれいに整理した。二百通を超える葉書と手紙を友人に送ってしまって、ほっと肩の重みがとれた感じである。助手の水尾君のすぐれた助力のおかげで、光悦―乾山の著書の勉強を始めることもでき、また初めて日本歴史というものにほんとうに足を踏み入れることができた。

そして、足利将軍の統治が信長と秀吉によって打倒された時代、および家康によって樹立された徳川将軍の時代、光悦の生まれた一五五八年から初代乾山の死んだ一七四三年にいたる時期の洞察が得られた。光悦、乾山、それに宗達、光琳および彼らの交友たちの生活は、言わば覗き穴であり、これを通して私は、中国の禅宗によって支配されていた貴族的理想主義が茶道、能、詩歌、書画その他の藝術を生起させ、その後それが、歌舞伎や色摺版画などの民衆藝術を伴った商人階級の勃興によって性格を変えて行った時期を、親しく眺めたのである。

動物――

近所の犬どもが夜になると長々と吠え合う。つまらぬことを論じ合い、声を合せて不平をぶちまける。彼らはめったに鎖から放たれることはない。と言っても別に不思議ではない。野犬狩りの役人が、特殊な箱車をもって通りを歩き廻り、首輪と鑑札なしで放たれている犬はみな引っ張って行くからだ。良い犬や、皮には値がつくし、中国人や朝鮮人は犬を食う。英国人の私は、殺生をするなとか、生あるものはみな死ねば仏になるとかいった仏教の信仰にもかかわらず、どうも日本人は動物の苦しみには鈍感だと、しばしば感じるのだ。中国でも、私たちは、馬や鳥が人の役に立っている間は大事にされるが、役に立たなくなるともうそうされないことに気付くのが常だった。ここでは、欲しがられない子猫は殺されない。殺されはしないのだが、遠くはなれた所に捨てられて、死ぬに委せられることが多いのである。

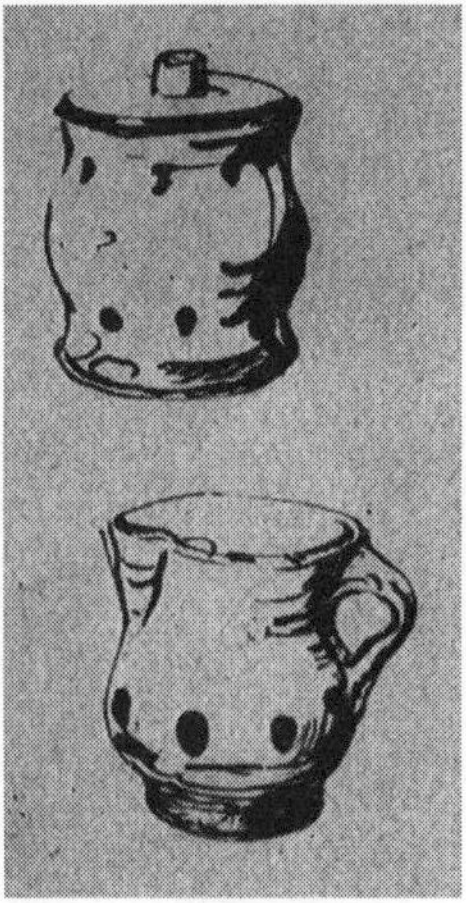

筒描の器

十二月十七日

柳の小さい孫娘のミヤ子ちゃんを連れて、電車ですぐ二つ目の渋谷駅に行き、立派で大きな東横百貨店でまあまあのクリスマス・ツリーとそれにつけるデコレーションを探した。日本はクリスマスの

宍道湖の月と舟（皿の絵）

日を宗教的な意味など構わずに扱っているから、ずいぶんたくさんあったが、ツリーの大半はお粗末で卑俗なものだった。私たちは小さいロウソクと燭台を見つけるのに苦労した。ここのクリスマス・ツリーは、私の嫌いな色電灯で飾り付けられているからだ。帰ってから私たちは、お互に助け合い喜び合いながらそれを飾り付けた。

十二月十八日

マーク・トビーの若い友人デール・ケラーがシアトルからやって来て、正午に私を訪れた。それからふたりで水道橋に出かけ、観世流の能ですばらしい六時間を過ごした。私は、自分がケラーと同じ反応を受けるかどうか、またケラーもこの能を楽しむことができるだろうか、と気遣った。ところが疑問の余地はなかった。首筋がぞくっとした。私は偉大な藝術のスリルを感じ、終日それにひたっていた。ケラーもそうだった。それはこの世ならぬ世界、然り、ずっと昔の、だがすべての世の世界である。これは、全一という意味において偉大な舞台であった。劇、音楽、舞踊、衣裳、装置、間合のすべてが完全に結合されており、生命に対する信仰という古い根源から流れ出て、幾世紀を経て一つの完全なテクニックにまで進展して来ている。ギリシア劇が能と比べられる何かを持っていたことは疑いないが、しかしそれは死んだ過去のもの、能はなおみごとに生きているのだ。

我々のオペラは、比べれば少なくとも一見して生で未成熟である。能の抑制はきわめて感銘深く、劇の各瞬間に力がこめられつつ、初めの動きはまことに微妙である。つやつやと磨《みが》き上げられた床の上の完璧なポーズと足の運び、白い裂けた両足の足踏《あしぶみ》と胴がくびれ紐で縛った小鼓を指で打つスタッカートに合せる不思議な未完了の半足踏、長く尾をひいた笛の悲調と、朗々たる地謡の吟唱。金襴の色彩と配合の目もあやな奔出をひきしめる厳しい身振と面。象徴的な小道具の類と、様式化された松を描いた簡素な背景。これは五百年の歴史とともに今も生き続けている貴族的な継承の藝術であり、光悦、宗達、光琳、乾山の四大装飾家はいずれもこれに貢献したのである。

十二月二十五日

クリスマスの日、私たち老若合せて十四名、大晩餐会の席についた。この席にいない友人知己の健康を祈って飲み、大いに食べ、クリスマス・ツリーにロウソクをともし、贈物を渡し、みんな楽しげであり仕合せそうだったが、私は自らの中に遠くいた。

ロムニイの沼地に
草食《は》みいる羊たち、
われも眠りたし
ロムニイの沼地に
平らけき風の柳を吹き渡る。

愛の戸は閉まりぬ
クリスマスの日に、
わが胸はふさがりぬ
クリスマスの日に、
大いなる海をへだてて
来《こ》し方　思えば。

Sheep are nibbling the grass
On Romney Marsh.
Would I had a pillow
On Romney Marsh
Where flat winds blow through willow.

Love's door is shut on Christmas day,
My heart is full on Christmas day
Of what has been, great seas between.

第九章　九州小鹿田《おんた》にて

水差《みずさし》（小鹿田での作）

瀬戸内海の漁舟（皿の絵）

私は、今度日本へ帰って来て、南の島九州の小鹿田（大分県日田市）という遠くの村の陶工たちから再三招きや便りをもらっていた。私にぜひともやって来てしばらく一緒に仕事をして欲しいと言うのだった。私のためにベッドや外国風の食事や特別の風呂まで用意するからと言ってきた。

柳も、だいぶ前に、何時間か山道を歩いて小鹿田をはじめて訪ねたときの話をしてくれたが、そこの人たちは簡素な、世俗に損われない生活を送っており、作っている焼物もなかなか良いものだということだった。柳、濱田もしきりに行けとすすめるので、とうとう出かけることになった。ただし、特別の用意を思い止まらせることができてからのことだ。

一九五四年四月一日

冬の三ヵ月を東京での勉強や執筆に過したのち、四月一日、ついに私はこの旅に発った。急行「つばめ」でまたも京都へ着くと、河井寛次郎と甥の河井武一が迎えに来ていた。急行電車に乗換えて、一時間ほどで神戸に行くと、民藝協会の人たちが待っていて、民藝料理店の竹葉亭で豪華なもてなしに与かった。ここで出された鯛の刺身は、これまで食べたうちではいちばんおいしかった。

午後十時、私たちは瀬戸内海の向うの端の別府行の船に乗込んだ。途中寄港した四国の港で朝早く、濱田が乗り込んで来た。彼は「タルト」といううまいお菓子を持って来てくれた。これは上等のスイス・ロールに似たもので、ジャムの代りに餡が入っている。三百年ばかり昔のこと、土地の大名が長崎からこの異国の食物を入れたのだという。長崎にはオランダかポルトガルの商人が持って来たのである。

私たちが別府に着いたのは午前八時だった。別府は有名な温泉地で、日本旅館がたくさん並び建ち、保養客が「ユカタ」で街をぶらついている。静かな海を港へ向うと、数マイル沖合からもう山へと立ち昇っている湯の煙が望まれた。船が潮の流れに乗ったり逆らったりして進む瀬戸内海のすばらしい景観は、夜だったので見ることができなかったが、それでも、昨日の朝見た透し絵のようなさまざまの姿の無数の島々と小さな黒い漁舟は、美しい夢のようだった。

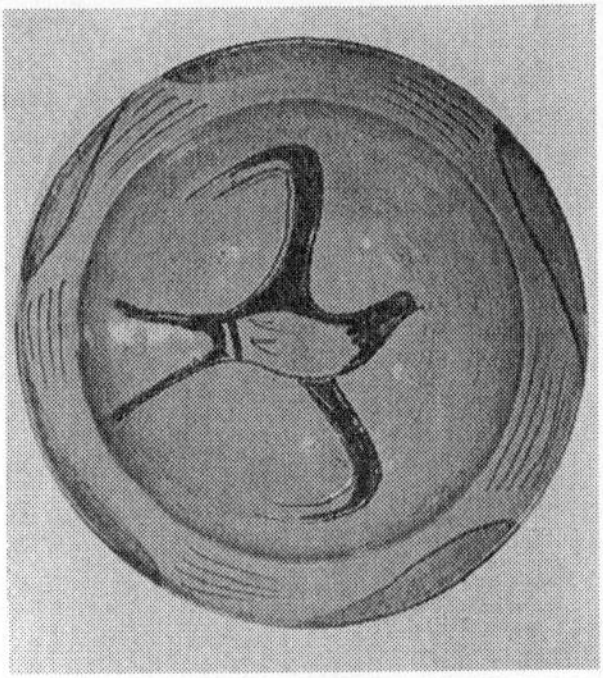
つばめの皿（小鹿田での作）

日本式の旅館に着いて、細田大分県知事その他の人たちに迎えられ、夕食の饗応を受けてから、この地の工藝の保存について、長時間和やかな懇談をした。そのあとで戦災を免かれたにぎやかなこの町の散歩に出かけた。春祭と花盛りとで人が群れ、店はみな真夜中まで開いている。

まず、私たちは古道具屋をいくつか見て歩き、ちょっと良いものを見つけた。私は百五十年ばかり昔の瀬戸の油皿を二千円で買った。大英博物館の友人のためである。値段は東京より安かった。

馬の目皿

東京にはもう安いものなんかありはしない。店の者は私たちが何者かということを見てとった。おそらく夕刊に出ていたからだと思うが、おかげで値段の方も吹きかけられるようなことはなかった。私の分は三分の一もまけてくれたが、これは私が郷土民藝を助けに来ているからというわけだった。そして他の店々は、低級な趣味に迎合する「みやげ商売屋」のある所ではどこにでも見られるような、下品なごたごたと小細工した竹細工でいっぱいだった。これらの店ではほかの品物も、マネキン人形、布地、人形、それに焼物まで、ひどいものばかりで、うんざりさせられた。おまけにスイッチを切るのを忘れたようにラジオががなり立てていた。

四月四日

車で山を幾つか越えて奥地の日田におもむき、山陽館ホテルに入って、また土地のお役人たちの大きな招宴。伝統的な工藝の意義についてのさらなる論議が始まる。どうして私が九州にやって来たのか、なぜ多くの中から小鹿田を選んだのかなど尋ねられた。二十年ばかり前、故秩父宮が柳の書いたものを読まれて、訪ねたいと言われたが、役人たちもどこにあるのか正しくは知らなかったのだ。

夜昼なく新聞記者やカメラマンにつきまとわれていたが、夕方には、私たちは散歩に出かけた。私は「馬の目」と呼ばれる模様の皿を買った。英国には“Boney Pie”皿と呼ばれる模様の陶皿があり、同じような民藝の作者たちによってだいたい同じ時代に作られていた。濱田がその例品を持っている。日田の町は別府よりもずっと良く、並んでいる店や家も昔風を保っているし、まがいものではない。

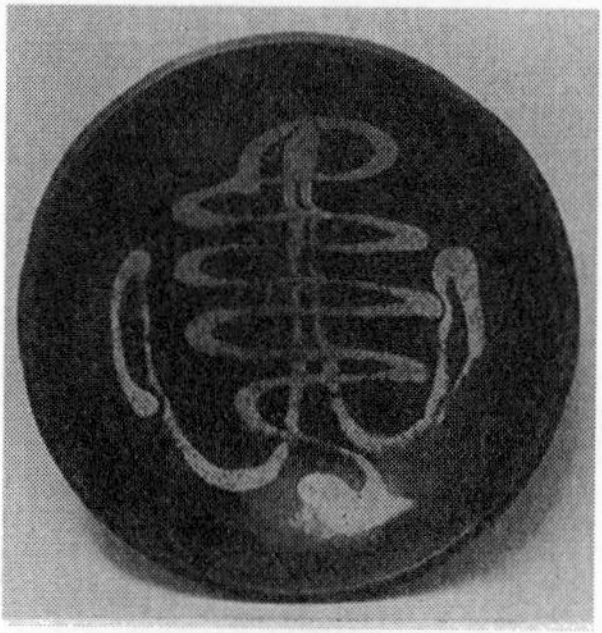

英国の Boney Pie の皿（18世紀）

翌日、愉快な、しっかりしたある老医が訪ねて来て、自分の古い、美しい家を見に来てくれと望まれた。その古い方の棟は初代乾山（歴史上の私の標識）

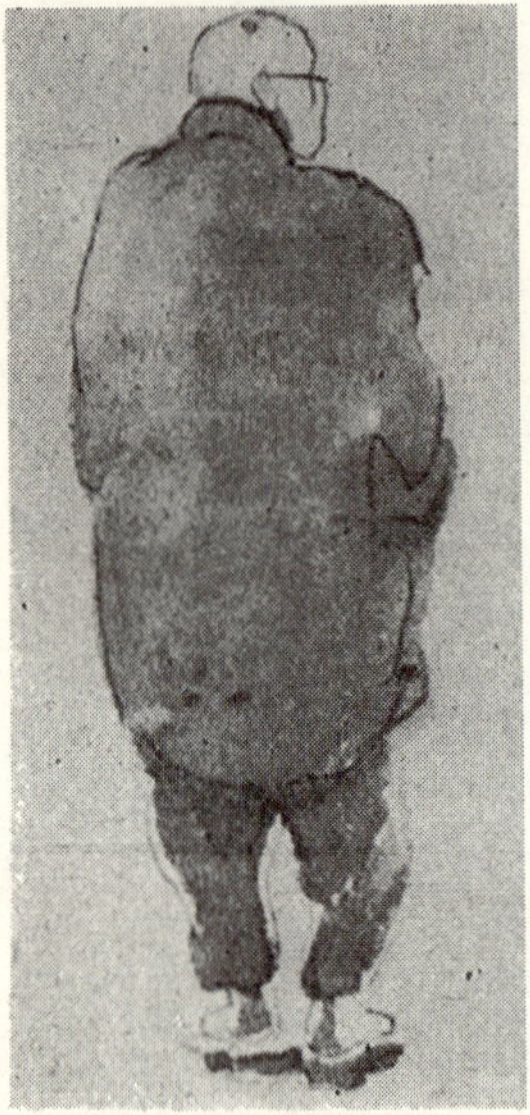

濱田庄司

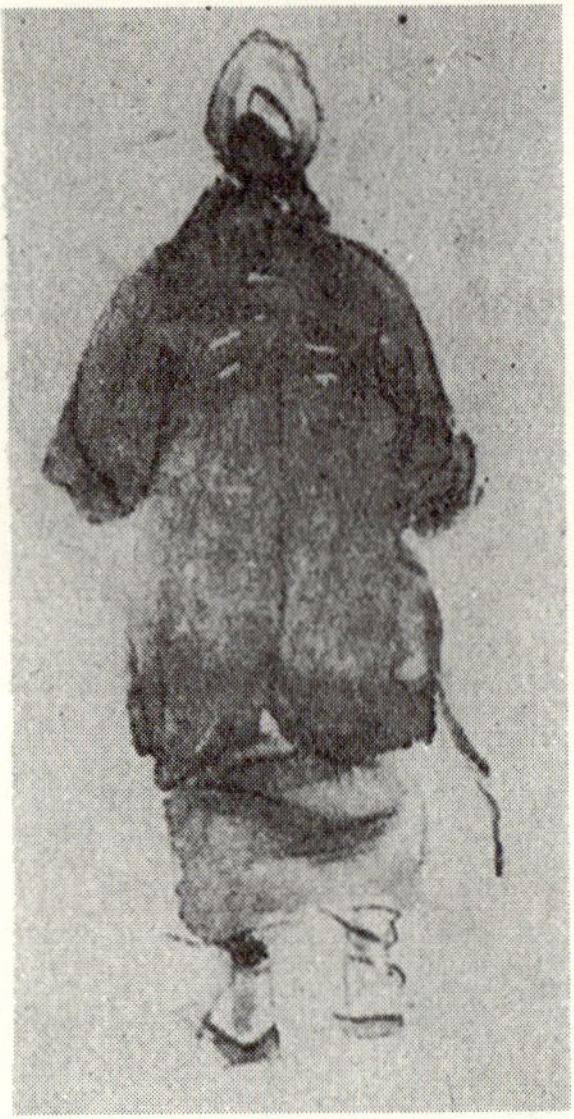

河井寛次郎

が生きていた元禄時代に建てられたものだ。小さな庭は、時代を経ていて愛らしく上品で、静かな中にみごとな紅葉が燃え立っていた。屋内はすべて煎茶趣味のもので、念入りに保たれていた。老医は私に帰途に立ち寄って一晩泊ってくれと言った。

それから私たちは車を駆って数マイル行き、長い渓谷に入った。道はだんだん狭く悪くなり、坂も険しく迫ってきて、高い常緑の杉の木であたりも暗かった。そうして曲り道に来たとき、木の皮を葺いた屋根と、立っている人々の

小鹿田の共同登窯

姿が見えた。「小鹿田の皿山」だ。

　私たちは昼食の時間に一時間以上もおくれたので、彼らはだいぶ待たなければならなかったのだ。曲った渓流に沿って、人々は美しい彼らの家の前に出ていた。背の高い竹が大きな羽のように屋根の上におおいかぶさり、急な山腹を桃色の桜の花が点々と彩っている。軽い食事をしてから、私たちは仕事場をひと廻りし、約百八十人の村人たちに紹介された。長い共同窯が上から凸凹道まで下りて来ていたが、私をいちばん驚かせたのは陶工の土とその仕度だった。

　山の斜面から半ば腐蝕した鉄分の岩石を粗切《あらぎ》りし、それをきわめて原始的な木製の粉砕具で搗き砕くのである。それは、一端に重い木の杵が直角にとりつけられ、もう一方の端に三十ガロンばかりの水を蓄える水槽が刳られた、長さ十五フィート、十八インチ角ほどの大きな木材で、水槽に竹

唐　臼

の管から水が注がれ、その重さで杵が六フィートほど持上ったところで水が抜け、三十秒ごとに軟い岩が入れてある地面の穴を重々しくごとんと搗くようになっている。一日に二度陶石を放り込むだけで後は手が要らない。陶家ごとにこの唐臼《からうす》を、米を搗くための小さいのと二台持っているが、ともかくこれで、石を砕いて粉にするのにちょうど間に合うのだ。

この粉に水を混ぜて篩《ふるい》にかけると、全然費用要らずに、年中轆轤するのに十分な良質の陶土が得られる。数年前役人がやって来て、これではあまりにも原始的だというわけで、コンクリートの建物に新式の電気装置の機械を据付けたが、村人たちにとって必要以上の陶土が出来るのと、馴れないベアリングに油をさすのを忘れたのとで――彼らの使っている木の杵には油なんかささなくともいい――この機械はやがてがたがたになり、こわれてしまった。

断っておいたのに、特別の風呂が作ってあって、私たちはこのタイル張りのきれいな風呂に入った。やがて夕食になり、バター、チーズ、ココア、肉、魚、それによく焼いたトーストが出た。どれもこの遠い山奥まで運んできたもので、彼らはその用意を何とか調《ととの》えてくれた。そんな苦労は全くかけたくない。私のためにテーブルとやわらかい椅子が置いてあり、二十五人ばかりの村人たちはみな畳の上に坐って食べているのに、私にはその椅子へかけてくれと言うのだった。彼らの厚意には感謝したものの、椅子に腰かけて食事をするのは断り、その椅子は次の間の机のそばに置いて、書きものや描画で疲れたときにゆっくりかけて休めるようにした。

主人役の坂本老が簡単な歓迎の挨拶を述べ、それに答えて私が、まごつきながら、ここに来たのは私自身が勉強するためだが、もしそのお返しに何か御助力できることがあるとすればこんな嬉しいことはない、と言った。料理を食べ酒やビールを飲んだあとは、濱田、河井、それに誰も彼もがうちとけて話は自由になり滑稽になった。そして河井が便器のオマルをとくに褒め立てたときには、会話はシェークスピアばりのにぎやかなものになったが、決して下品にはならなかった。

翌日、河井と濱田は、彼らのために茶碗や壺や皿を轆轤している若い陶工たちを指図するのに、ずっとかかりきりだった。器は巧まずして次々と出来ていき、私たちの与える示唆が造作なく取入れられて行った。しかし、その次の日、茶碗が挽かれたとき、私は河井の好みの高台にはどうも賛成できず、黙り込んでしまった。私には、河井が前の晩に思いやり深く述べていた非個人性ということにそれらが反しているように思えたのである。

お ま る

四月八日

濱田と河井が去り、私と武一君が残った。武一君はとても思慮深く、先を見通して私の面倒を見、その善良な性格でどこででも親切に仲立の役を務めてくれた。今朝早く、ベッドにいると、陶土をつく杵の規則正しい音と水の流れる音と、竹藪からの鶯の優しい低い声が聞えて来た。朝食前は寒いので、「こたつ」に入って温まらなければならない。それは、こたつ掛でおおった低いテーブルの下に床を抜いて、中に炭火を入れた掘ごたつである。みなが周りに坐って、脚を暖い中に入れる。とても親しめるものだ。

今日、私は、乾燥に時間がかかるので、大きな壺、皿、水差、パン皿などを作り始めた。自分で轆轤を回すつもりはなかった。その必要もなかったし、それにここの道具や土を扱うすべも馴れもなかったから。若い坂本君が、私の希望のほとんどを、これ以上望むことのない手馴れた伝統手法の豊かさで、苦もなくやってくれた。

四月十日

一日中働き通した。七時に起きて、冷水摩擦、日記、焼物の絵の選択。八時に朝食。仕事に戻って、刷毛と泥釉、櫛と彫刀とを使って大物の装飾をしたり、轆轤で挽上げられている新しい焼物や日に干された昨日の作物に目を配ったりして精を出した。庭のいたるところに並べられた焼物は、その間を子供たちが遊び廻り、鶏が地面をひっかきまわしているのに、めったにこわれることがない。子供たちは焼物屋の子であり、鶏もまた多分そうなのだ。私が、壺を一個、底のほうを日に向けて置いておいたら、よちよち歩きの子が、「ひとつ転んでるよ」と父親に報告しに来た。

鶏（皿の絵）

午前中、新聞のカメラマンが一人やって来て、坂本一家と私がお茶を飲んでいるこのチャーミングな写真を撮るため、仕事を邪魔した。大気は春で、山には桜が咲いている。十二時半から一時半まで中食の小憩、それから暗くなるまで仕事をしたが、間で、はるばる本州を縦断して毎日新聞の人が予告なく訪れて来て、会見した。入浴と夕食。世話になったいろんな人たちに贈るため、用意された色紙に六枚ばかり絵を描く。

四月十一日

今朝、この村にいちばん近い窯場の小石原から、六人ばかりの若い陶工が四時間の山道を歩いてやって来た。小鹿田の仕事は、実は二百四十年前にこの小石原から伝えられたのである。いずれも源は、日本での多くの場合がそうであるように、豊臣秀吉がその六十年ほど前に荒した朝鮮にある。当時は焼物が今の旅券のようなもので、捕虜になった朝鮮の焼物師たちは封建大名によってその領内に住まわされ、好遇された。小石原と小鹿田の窯元たちは別れた同族なので、この若い陶工たちは、その午後ずっと私の絵付や把手付けを見た後、小鹿田の陶工たちのすすめで心尽しの夕食をともにし、焼物の形や力強さなどについて、私と話をした。

ついでに彼らはおきまりの質問をする。「ピカソを陶工としてどう思うか」。私は、彼は藝術家としてすぐれた才を持っているけれども、まったく陶工ではないと、いつもの通り答えた。陶工はまず土から始めるものだが、彼は画からやるのだ。彼の陶器は活力があり、独創的な意匠で面白いが、彼の無数の模倣者、つまり「亜流ピカソたち」は、その継承権もなく、国際的な災害である。

坂本一家とお茶

陶家のこたつ

小石原の陶工たちは、田舎風だがなかなか熱心で、頭もよく、寝るまで話が続いた。そして朝の四時にはもう山を越えて帰って行った。

四月十二日

今日、村は午から春祭だというので、準備のためいつもより一時間も早く起きていた。十六軒の家ではめいめい酒の瓶や特別の料理の大皿を調えて、天気なら戸外だが、今日は雨が降っているので村の集会所に持って行く。一族を集めるために家々でほら貝を吹鳴らす。私は男たち女たち子供たちの群の真ん中に坐らされ、杯を乾されたり乾し返したり、それから報告や挨拶《あいさつ》があり、みんな愉快になる。そしてもう食べられないほどおなかがいっぱいになると、余興が始まる。唄や踊りやものまね、あけっぴろげで地方色たっぷりのものだ。しかし私は気分が悪くなったので、これ幸いと寝ることにした。

四月十三日

実際、私は風邪をひいてひどくなりそうだったのである。しかし、仕事の手順や時間割をくずす余裕はない。そこで私は、一日中、中世や英国では一般的な、ピッチャーやジョッキの把手付けをした。掌の中を滑って行く濡れた粘土の舌のような感触、指先の押圧で付ける筋や鋸歯状凹凸、右手の親指を鋤のように使ってきれいにえぐること、などポット作りに伴うことは何でも、ほんとにやっていて楽しかった。それから、ポットを横から見て正しい位置に把手の太い方の端を押付け、完全な張りをもたせて橋状にし、握り易いように形を整え、最後に、把手のもう一方の端を取付けて優美に拭い、きれいに仕上げるのである。これはまさに英国風で、古い英国のスリップウェアーの把手よりも純粋で美しいものはない。

把手を作っていると、私自身より別の何かが仕事をしているような気がする。そしてそれが、疑いもなく、この山奥の陶工たちをひきつける理由なのだ。ちょうど私が、彼らの没個人的な伝統にひかれるように。まさしく、この日私は私を再び東洋に来させるに至った真の動機といったものが、いっそうはっきりと判った。それは、巣の中の無名の工人たちを見つけ出し、彼らとともに暮し働くことから、産業革命以来私たちが失ってしまった総体性と謙虚さを学びとるべく努めるためである。

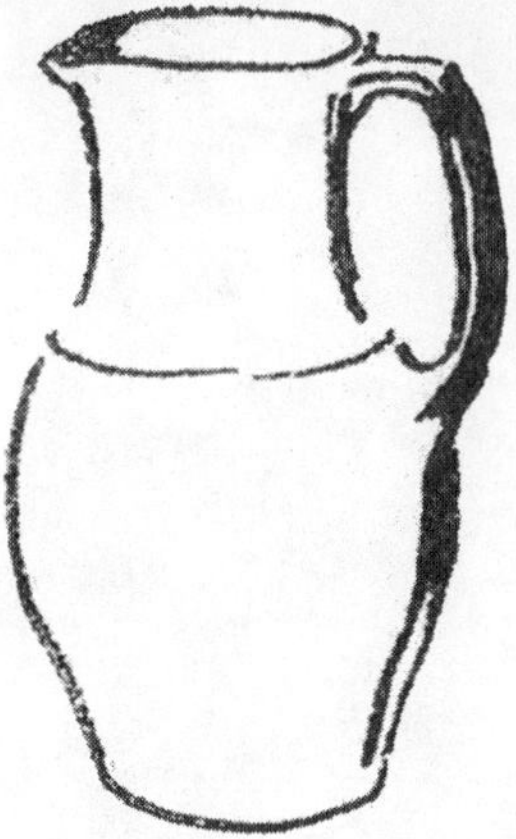

小鹿田の水差

妙なことだが、日本全土で把手のついた水差を古くから作っているのはここだけなのだ。図のようなもので、しっかりした手がついている。形は明らかに日本風でない。私たちは、これも昔のオランダかポルトガルの影響の残りに違いないと考えた。私はここで、装飾の二つの方法を学んだ。

小鹿田の水差

一つは中国宋代に用いられた方法で、それは長いこと私の興味をそそり、謎でもあった。彼らは、「飛金《とびがね》」（飛鉋《かんな》）と呼んでいる。半乾きの器胎を削るのに、普通の直角の道具ではなく、曲ったバネのようなものを使い、それをゆっくり回している白化粧した器の面に直角に当てる。バネは跳ねるごとに白土を弾《はじ》き飛ばして、下の陶胎の地色を出してくる。きわめて簡単で、早く、そして効果的である。

もう一つの方法も、やはり泥釉を用いるが、よりソフトだ。真直ぐな毛先の幅広の刷毛で白土を品物に滑らかに地塗をし、ゆっくり回しながら、表面をリズミカルに刷毛で軽く叩いて行くのである。

私に与えられた九州の山奥で、世俗を離れたこれらの愉快な山の陶工たちと一緒にしばらくの間過ごしたような経験を、ヨーロッパの工藝家は誰も持てなかっただろう。西欧のわが友の誰彼が、かかる経験に与かれることを願いたい。それは、私たちにのみならず、しばしば遠くからここを訪れる多くの人たちにも、食事や酒を供し、時には宿をもかす、彼らの日ごとの親切さや好意ということだけではなかった。私が最も感銘するのは、しんそこ心をひとつにした自発的な村全体の行動であった。彼らの心が末永く脈打ち、また下の流れの唐臼がいつまでも地を叩いてくれるように。

毎晩、夕食と風呂をすませると、若者が、また老人が、時には女たちが数人でやって来て話をし、質問をする。彼らは我々の風習や感情を知りたがり、私はまた彼らのそれを知りたい。彼らは、英国諸島の村人たちの同様などんな集団が彼らのことを知っているより以上に、我々のことを知っている！

ある点では彼らには世界市民としてのより多くの準備があると考えれば、私は夢想家であろうか。彼らはめいめい土地と家を持っており、貧富の差もひどくはない。谷間の小さ

唐臼小屋

小鹿田窯の焚口

な段々畠や田で主食物を育て、労働力を除いては陶土も水も木材も費用はかからず、しかも今は精神的に旧習に縛られることもない。だが、危険はここにあるようだ。不意に支柱を奪われたら、その後の圧力とひずみは、古い建物にとって耐えられないものになるかも知れないのである。

私は、村の映画をとる二、三人のカメラマンと一緒に歩き廻って、ある夜そのことを話し合ったことがあるのにもかかわらず、どこの仕事場でも私の焼物の形と模様が真似されているのを見て、むしろ恐しくなった。私の子供たちが至る所で体に合わない着物を着ているのを見たのだ！

それは言わば、正常で健康だと私が思った、外界の影響を十パーセントしか受けていないということの代りに、これは、なんの抵抗もなしに少くとも七十五パーセントの外からの侵入を許したことを意味する。そして、私の見るところ、今や日本全般でそうなりつつあるのだ。この模倣の問題は、西欧人の目には、まず第一に商業的な不正直と映り、検討と開かれた認識が求められる。

だが、この小鹿田では、ありきたりの表面的解釈は的はずれになるのである。私に対する感情に関しては、彼らは気遣いをし敬意を持っている。彼らの心にそれに反するような気持が全くないことを私は確言できる。彼らにとって、模倣は当然そうすべきことなのであって、私が注意したのも私の遠慮から出たものだと思っているのである。そこにある微妙な群衆心理やこみ入った社会進化を解明する習練を私は欠いているけれども、意匠の所有権という考えが十九世紀の産業主義や個人主義とともに生い育ったことは、明らかだと思う。

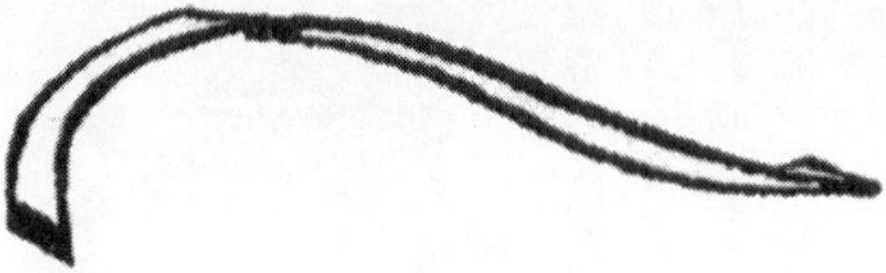

飛　金

日本では、とりわけこの古い日本が残っている辺地では、我々は共同財産という問題にぶつかる。小鹿田や他の地方の良き古い窯場では、たとえばノース・デヴォンのフレミントンのように、良い把手や良い形は、どこから来たものであろうが、ただ良いのであって、原作者の権利などはナンセンスなのである。標準を維持し生活を守るために同業組合があるということは事実だが、所有権についての強い意識が高まったの

小鹿田飛金紋小壺

は、単に一つには機械の参入により、一つには生活からの藝術の遊離による。しかし、小鹿田やフレミントンのような割り切れない共同体の同化力が衰え、新しい支柱を必要としていることも、同じように明らかである。

日本におけるこの支柱は、謙譲の哲理で強調されすぎた個人主義を協同的な社会の調和に従わせようとしている民藝運動の指導者たちだ。ここへ来る前から私が持っていた懸念は、私の与える影響はあまりにも異質で消化されないものではないか、ということだった。けれども、小鹿田も不自然な飛地であり続けることはできず、国の風潮に揺れ動かざるを得ない。これと同じようなことが、仏教が中国文化を日本にもたらしたときにあったこと、そしてその同化には三百年も要した事情を思い起すことで、慰めが得られるのである。

ところで、私が作った焼物については、装飾を入念に意図しすぎたことに大きな不満があった。何の美術的な配慮もなしに、必要を満たすために能う限り直截なやり方で作られた、古来の大きな水差、碗、湯たんぽ、酒器、醤油差などの持つ、気楽な、本然の豊かさといかに異なっていることか。その器類は、この山間の農民の生活から生まれたものであり、それだからこそ、細田知事や役人たちが、小鹿田の陶工たちが農耕をしないですむようになればいいんですが、と言った時、私たちは賛成できなかったのだ。

彼らの陶業は農民の技であり、彼らが育てる稲と同じように自然に則したもので、ほとんど美を意識せず作られている。彼らは、好きでも嫌いでも、ちょうど種蒔《たねまき》や植付けや刈取、四季の収穫をするのと同じように、幅の広い実際的専門知識を持っている。それはいつも変ることと無く、協同一致が基調をなしている。しかし、私たちのはばらばらで、そうした邪気のなさを装うこともできない。私たちにとって再統合は、自己修練――これはつくづく嫌だ――か自己忘却かによる、厳しい道である。私の焼物は、新鮮な、もっとあからさまな衝動に従い、企図を少なくし、過去への依存を止め、直観へのさらなる解放を必要としているのだ。

四月十九日

河井武一君が、昨日の朝帰って行った。村の人たちが半分も集って見送った。彼は、ひとりひとりに挨拶をし、とても暖かく美しい態度で感謝を述べた。彼の自分を無にした他人への思いやりには学ぶべきものがあった。

風邪が悪くなって咳と熱が少し出てきた。ちょっと息抜きに日田まで出られたのはありがたかった。それでも、こばめないほど親切にしてくれたいろんな人たちのために、そこで二

最後の室の窯焚

十枚ばかりの絵を描くことができた。絵がこんなに欲しがられる国がほかにあるだろうか。

十九年前に二週間ばかり仕事をしたことのある二川《ふたかわ》から、はるばる若い角《すみ》君がやって来た。父親はまだ健在だが、悲しいことに、戦争で古い窯業はだめになったそうだ。角君はそれを小規模ながらまた始めたいと言うが、黒い器胎に日本で一番美しい白化粧をしたそこの焼物のためだけでも、そうして欲しいと思う。これに「飴」と呼ばれる黄褐色の透明釉をかけて酸化焼成すると、みごとなオレンジ・イエローになる。

四月二十一日

また小鹿田へ帰る。いやな風邪がまだ

蛙と蓮

子つばめ

重く工合が悪い。夜に窯を見守っているのが風邪にいちばん悪いのだが、どうなっているのか様子を見ないではいられなかったので、私の品物の大部分が入っている長い登窯の下端で、燃えはぜる火を前に窯焚の連中とコップ酒を飲む。

一軒の家に呼込まれると、十二、三人の男女が笑ったり、おしゃべりをしたりしている。私が数日前に、おもに彼らと彼らの山暮しに関して録音した放送を聞こうとするところだった。焼物に趣味をもつ井上医師がやって来て、私を叱りつけ、ペニシリンの注射をしてくれた。

四月二十二日

第五室の窯の横の焚口を見るため、まだ陽が斜めの早朝から出かける。煙が静かに竹藪の中に昇り、焚口から投込まれる六フィートもある杉の薪《たきぎ》が燃えてはぜる音、水の流れの音、唐臼のひびき、それから鶯の声などが聞えて来る。

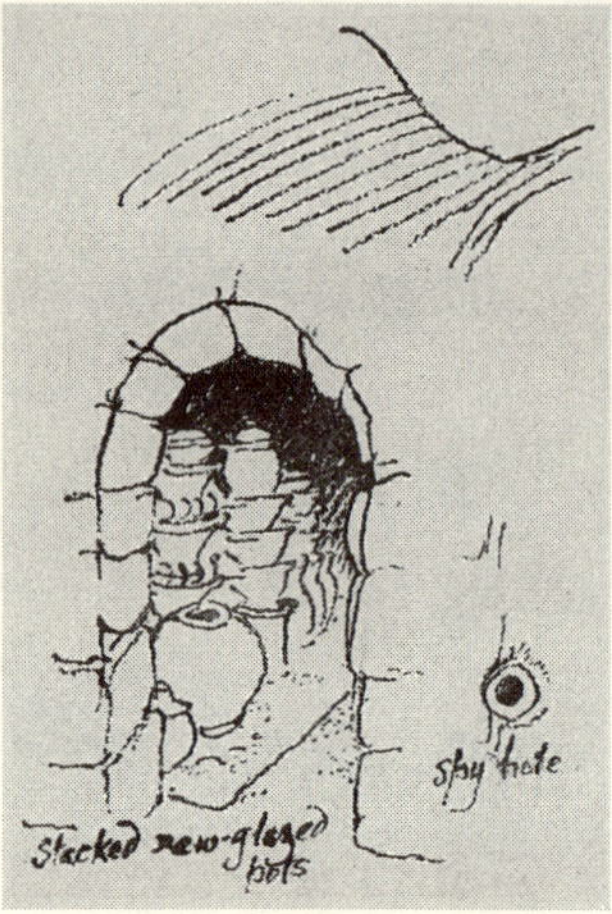

窯詰された生掛けの陶器

小鹿田の窯はちょっと信じられないくらいのものである。この窯は急傾斜の続き八室から成り、各室平均して幅十五フィート、高さ五フィート、奥行は七フィートあり、大きな物も焼けるし、焚き始めから終るまで二十五時間しかかからない。温度は平均摂氏千二百八十度である。下の本焚口からの「あぶり」は約五時間を要し、横から燃すのは各室ともわずか二時間半ですむ。さやも通例の棚も使わず、せいぜい室の三分の一の空間に陶器を置き、あとは空《あ》いている。科学的な西洋人の考えでは、一見とんでもない無駄のように思えるかも知れないが、そうでないことは数字がはっきり示している。

この土地のやり方でいくと、高さも幅も二フィートくらいの大きな貯蔵甕を、必要な温度まで熱するには重さ五十ポンドの薪一束を使う。赤松が最適なのだが、パルプや煙草のための需要が値段をひどく上げていて、戦争による被害を別としても、地方の焼物師たちの多くはとても恐慌を来たしている。戦前には山とそこに生えている木を約五ポンドで買えたのが、いまでは五千ポンドもするという話である。私がこの前に日本に来たときは一円が一シリング強だったが、今は千円が一ポンドなのである。

私たちの最後の日だというので、細田知事その他大勢やって来て、狭い悪い道が自動車でいっぱいになってしまった。放送をし、最後の夕食をしたため、戸外で私たちの映画を映して見せた。セント・アイヴスの映画に拍手が鳴り止まなかった。柳が東京から着いた。出来の良い焼物二十五個を日田に持って行って展覧会を開き、細田知事の司会で講演や映写会も行われた。細田知事の話はなかなかうまく、敗戦後多くの人と同じように方向を見失い、何か頼りになるものを求めた経験を語り、次いで私たちの方に向いて「あなたたちは私のなすべきことを与えてくださった。それは工藝を通じて日本の姿を保持して行くことです」と言った。

その夜は私たちの日本旅館で大宴会があり、翌朝、雨の中を自動車で小石原へ向かった。着いて私たちは仕事場から仕事場へ泥道を歩いて行った。小石原は、小鹿田ほど緊密な協同の仕事はしていないかも知れないけれど、どちらかと言えば仕事が広汎で大がかりなのは嬉しかった。陶工たちと一緒に昼食をとったが、この弁当はこれまでのうちでいちばん充実したものだった。弁当というのは昼食バスケットと同じもので、簡素な軽い木の箱に箸と冷い御飯、魚、野菜、漬物などが入っている。今日のは、大きな魚が二尾、それに肉も付いていて、一家中で食べられるほどあった。帰り道で、私の乗っていた車が、ゆっくり走っていたのに田圃の中へ横滑りして落ち、農民の手をかりて引上げて道の上に戻すのにだいぶん時間

小鹿田の窯出し

をとられた。

四月二十六日

九州にも、楽しい小鹿田にも、細田知事にも、真心あふれる窯工たち皆にもお別れである。

四月二十七日

汽車で京都へ。車体の動揺、急停止、レールのがたんごとんというマイルを叩き出している音が眠気を誘う。私は小鹿田の人たちに葉書を一枚書いた。「山桜と一緒、何となく短い」。英訳すれば“With the mountain cherry, how brief!” 三週間で三百個の器、その多くが大きなもので、言落したが、焼きもすばらしく、ほとんど失敗がなかった。

いま四月の候の南日本は、山々が藍色にかすみ、雲のない空は金色の光を投げかける。節句の鯉のぼりがまた灰色の屋根の上に泳いでいる。斜めの陽をいっぱいに受けた山々の、なんという美しさだろう！

心暖かいキリスト教徒の堀内一家と再び会え、まだすっかり風邪が癒《なお》っていないので、ちょっとばかり面倒を見てもらえたのは嬉しかった。そして、疲れが出てきた。だから二、三日は何もせずに過ごした。京都の魅力的な街を歩き廻り、古唐津に関する良い本や、昔の漆器を一つ、焼物を二、三点買った。もっとも、私が美しいと思うものでも制作の刺激になるものでない限り、蒐めたいという気持はない。一軒の本屋に入ると、この店で一部四千五百円の私の「陶工の図録《ポターズ・ポートフォリオ》」を三十部入れたばかりなのに、もう売れてしまったと言っていた。

堀内氏と一緒に富本を訪ねた。熱心な話の奔出のために、彼の顔には疲れが見える。富本は現在の日本にひどく愛想をつかしていて、話が彼の英国訪問計画のことになると、冬の天気のことの不平を言い始めた。また、ある骨董屋が富本の古い壺の箱書をして欲しいと言って来た話をした。富本が「箱書をすれば値段が上がるのだから、君は一割を私に払ってもいいだろう」と言うと、「ごもっともです」と言いながら、その骨董屋は五万円の値段をつけているのに、それを千円だと言った。その時、そばにいた富本の友人が即座に「よし、その値で私が買おう」と言ったものだから、骨董屋、箱書もしてもらわずに退散した、という話だった。富本が自身に金を求めたのではなく、彼の署名で恥知らずな利を得ようと考えた商人の貪欲を阻止したのであることを、私は完全に明らかにしておかねばならないと思う。

美術学校を訪れた。八十人ばかりの生徒がいたが、彼らの作品にも、大阪でやっているそのグループ展にも別に感銘は受けなかった。また、朝日新聞主催の全日本陶器展も見たが、る。私も、濱田も、そのうちのせいぜい一割を並べた方が良かったと、それぞれ思ったものである。

京都の博物館には、数は少ないが、見事な宋代や唐代の壺と、古代中国の彫刻があった。同館の藤岡氏が、京都の北西鳴滝《なるたき》にあった初代乾山の窯跡から出た興味ある陶片を見せてくれた。彼は「乾山」と署名のある磁器の碗について私たちの意見を求め、私たちは即座に「そうです。これは本物です」と答えた。それがどこで作られたかというのが興味ある問題になった。乾山の窯から出た破片の中には、磁胎に釉薬をざっと試したものがあるが、これはちゃんと作られており、試しではなかった。仔細に調べてみて、結局これは、乾山が有田の素地に上絵付をしたものということに落着いた。この碗に見られるタッチは明白に乾山のもので、私はこれを原色版にして、著書の『乾山』に入れることにした。

五月十一日

堀内氏とともに、光琳の住居として知られる小さな家（遼郭亭）があるという仁和寺に赴いた。行ってみたら、それは、実は弟の乾山が元禄二年（一六八九）、つまり彼が二十七歳の時に建てたものと判った。乾山の友の月潭《げったん》という禅僧が、この家のそして乾山の号である「習静堂」の魅力的な文（『習静堂記』）を叙している。これはすでに私が訳した。私たちは乾山の使った茶室に坐って非常に嬉しかった。身のひきしまる部屋だった。それから鳴滝の窯跡へ歩いて行って、さやの断片や梅の花を描いた焼物の破片すら拾った。これは、堀内氏が道に光っているのを見つけ、私たちは大喜びだった。近くの小さな寺（法蔵寺）で、もっと多くの陶器の破片と、二条公が乾山に与えた土地のかなり大きな下賜書を見せてもらう。これには村の名主の連署がしてあった。

最後に御室《おむろ》に行って、乾山が八橋《やつはし》を架したという池を見た。この池は当時乾山の庭の中にあって、彼の作品や光琳の絵の中に八橋がよく描かれている。京都滞在中、私たちは乾山に関して最も権威ある著書を出している小林太市郎氏と二度食事をともにし、大いに有益な話をした。彼はこのことについて親切で、私は大きな恩恵を蒙った。

五月十二日

東京へ帰った。

第十章　むすびそしてお別れ

富本憲吉筆　清涼里小景

これまでに述べたところは、多少とも私の日記から引用するか、または一九五三年二月から一九五四年四月にかけて、経験がまだ生々しい間に書上げ、折にふれ海外へ送った拙文を載せた新聞から引用したものである。ただ時間の余裕がなかったため、多くの事柄を省略したし、またそれ以上に書こうとしなかったこともたくさんある。私は人の言いなりになり過ぎ、あまりにも多くの事を引受け過ぎたのは、まことに愚かであった。一万マイル以上の旅行をし、一千点以上の焼物、一千点の絵、講演、記事、放送などをものし、二冊の著書の大部分を書き、前後二十一ヵ月の間に十回の作品展を開いた。全体として事が多過ぎ、したがって明確性を欠いたことを残念に思っている。しかし、日記というものは、その性格上あいまいなものであり、それに結びをつけるべく私にできるのは、各章で言及したより重要な確信の若干を要約することがすべてである。

一九五四年五月十五日

益子の近くの宇都宮で行われた今年の民藝協会全国協議会で、私は小鹿田と松江での自身の経験をまとめて話したのち、個人陶藝家のデザインの伝統的陶工によるコピーの問題を提起した。何人かが私の抗議に同意したが、河井は立ち上って、そのことについては、自分のデザインも他のいかなる陶藝家のそれも、独占的所有のどんな意味からも自分や陶藝家たちに帰属するものだ、と言って私に挑んできた。私は、陶工たちがコピーするのは、子供がやるのと同じかも知れないが、そうでもないところもある、と認め、また、その結果が良ければ構わないことなのだが、実際には、陶工たちはうまい具合に写せてはいず、生き生きしたものではない、と述べた。今までにもし、彼らに問題が生じなかったとしたら、それはもはや単なるコピーではなくなったためだろう。河井の答は、現代にはほかの時代よりずっと多くのそういう不幸な孤児がいる、という事実を説明するものではなかった。

同じ出来事は西洋でも起っているが、個人主義のゆるやかな成長の中で、はるかに広い公共がコピーと創造的影響との異同を認識し、コピーを非難するようになって来たために、小範囲に留まった。私は、河井の主張にいささか驚かされ、皆の紛糾を避けるため論議を深追しなかった。

会合のあとで、河井、柳、濱田たちとの小グループは、二十五マイル離れた、長い狭い谷の先にある不思議な神道の巡礼地に連れれて行かれた。私たちは、六百年ほど経た大きな私人の屋敷に泊ったが、そこには「天狗さま」（今も生きている神話の山神）の社《やしろ》があった。広い厨所《だいどころ》の重々しい構造材の梁は、数世紀の煙で黒々としており、壁には、奉納額と赤い長い鼻の「天狗さま」のお面がいっぱい掛っていた。

そのうちの二個は、長さが五フィートもあり、端から端まで藍染の布団が敷きつめられた部屋を、上から見下していた。布団は、百マイルさきの房州の岬からやって来る漁師の女房たちの大集団のためのもので、彼女らは、夫たちの船がシーズン最初の漁に乗出すまさにその時に、安全と豊漁を祈念すべく、この例年の長旅をするのである。今は電報で出漁の正確な時刻が知らされる。

私たちは六時に起きて、太鼓の伴奏の激しい詠歌と引っきりなしに木の賽銭箱に投げ込まれる貨幣の音の中で、彼女らに加わった。迷信——かも知れない。しかしまた、無私の信仰でもある。

六月中旬

九谷の須田窯で仕事をするために、二度目の金沢への長い旅をした。ふたたび鈴木君とともに、前回の訪問以来、彼が私の絵付のために作っておいてくれた、二百個あまりの器の装飾をすることに毎日精を出す。鈴木君は、私の気楽さにこまごました心を配り、極めて巧みに、絵具を磨り、素地を薄く整え、私の黒い筆描に透明釉をかけておおい、総じて、私の手助け人、仲間、そして仲立人として働いてくれている。

六月十八日

近隣の陶工たちを訪ねて一日を送る。まず十マイル離れた山中温泉の矢口さんのところ。彼は、楓が岩の上に垂れ下る緑の渓流を直下に見下す、快い家と仕事場を持っている。お茶事のあと、彼は、初代乾山が鳴滝で制作した十枚の皿や、数点の宝物を見せてくれた。これらは楽焼で真物だったが、「乾山」と署した他の二点は疑わしく、多分、老年の乾山が京を去って江戸に移ることにした頃であろう、京の粟田窯で模造されたものと思われる。矢口さん自身の磁器は、高度に完成されたもので、今も作られている古い九谷の無気力な写しとは段が異なる。それでも私には、彼の作品が、新しい日本を構築する文化の混り合いから活力を汲んでいるようには見えなかった。

上絵皿　宍道湖の月と舟（九谷での作）

私は、日本の友人たちと完全に同意見を持っていて、西洋人の批評とはどうやら意見が違っているようだ。彼らは、おそらく宮廷趣味——白い半透明の釉肌に細やかな仕上と上品な飾り——と称されるのであろう磁器の、こうした性質を最上と評価するかに思えるのである。日本人は、中国明代の輸出陶磁に非常に近い初期の九谷を最も好む。その器胎は灰色っぽく不透明で、柿右衛門や鍋島のような有田特有の磁器に欠けている、厳しい強さと迫力がある。

日本の田舎の一日、私は、初代乾山の作と伝えられる十六個の、その大部分は疑いもなく真作である器を見せられた。亜流作品と多くの真赤な贋物があるにも拘らず、主に日本には、乾

英国中世陶器（鎌倉近代美術館）

山の数多くの良き作品が依然残っているに違いない。

六月二十九日

高島屋百貨店での、富本、河井、濱田、私の大きな合同展のオープニングのため、東京へ帰る。焼物のほかに、富本と私は絵も出す。富本のと私の多くは、掛物に仕立てられた。富本の絵は、抒情的で鋭く、彼が若い頃のペン画や鉛筆画から、どのようにより鋭くより繊細な東洋の筆の絵へと進んで来たかを、はっきり見せている。会はとてもうまく運ばれ、たくさんの外国人客も来てくれた。

しかし、私は自作には不満で、どうも好きになれない河井の作品にもそうだったし、富本のいくつかのものは全く良く思えなかった。濱田の陶器には、いつもの安定した土着性があったけれども、それでもいつも見ていたのより粗野で生気が弱いように感じられた。私は疲れてひが目になっていたのだろう。

最近の工藝家グループとの話の中で、私は至って率直に今の日本の良い印象と悪い印象とを述べた。私は、日本に好意的な外国人からよく尋ねられる「どうして日本人は我々の間違を真似るのだろう」という質問に刺戟されて言った。「日本人は、しばしば東と西、内と外、旧と新の間で混乱させられたように私には思われる」と。

日本人は、深く、無意識的に、長らく禁じられていた、非常に新しく力のある西洋世界への参入を望み、自分たちのためになると考える故に彼らの文化遺産を捨ててしまうことを望んだ。自身の財産が彼らを閉じ込め、邪魔になるように思えて、だから彼らは、外の世界に赴いて内側からそれを見て帰って来る、そういう時まで、放棄するのである。彼らが、真実から誤りを知り得るまでには、さまざまな錯誤を通り抜けることを避けられない。わずかに、濱田のような稀な感受性鋭く創造力のある精神が、周遊して橋を架け始めている。私は、新たな見方で東洋回帰の意識が展《ひろ》げられるとき、正しい方法でいかに為され得るかの例証として、濱田を、彼の作品を、益子の暮しの場を捉えるのだ。そして濱田は、充実し統合された日本人として、未来に直面している。

七月十日

私は、助手の水尾君と、鎌倉近代美術館へ招かれて見に行った。この館の指導者の一人である小山（冨士夫）氏（著名な日本陶磁の権威）に駅で会い、これまで東洋で見たことのない最良の西洋陶磁のコレクションを見せてもらった。エジプト、クレータ、ギリシア、ペルシア、英国の中世と十八世紀の古陶、北や南のヨーロッパ鉛釉陶、ピカソの皿、そしてかたわらに私の一個もあった。英国の古陶が、いかによく比較の試錬に耐えられているかを、眼を冷静にして何とか見てとることができて、私は嬉しかった。

私自身の、ことによると偏っているかも知れぬ意見は別として、はるか遠くの東洋陶磁愛好家の「見る眼」が、最近まで我々が認めていなかった荒々しいが温く元気のよいピッチャーや皿類を、第一級に品等している。故国の人々は驚倒することだろう。

私たちは、瑞泉寺の静かな部屋で、とても楽しい仏教的精進料理を食べてから、小さな公園の木々の梢の間に瞑想し慈悲を垂れる、十世紀のブロンズの大仏を見に行った。アメリカのGIらの騒々しい子供たちが大仏の膝によじ登り、敗戦日本人の賛美の群に囲まれて、親たちは子供らの写真を撮っていた。

それから私たちは、鵠沼へ向い、李氏朝鮮期の焼物のコレクションを見に赤星家を訪れた。赤星氏は私たちに晩餐を供し、私たちは共通の友人浅川（伯教）のことを語り合った。朝鮮陶磁に関するまったく無比の知見を持つ彼が、それを著述してくれるのを東西両洋がもう長い間待っている。民藝館の裏庭には、彼と亡くなった弟（巧）が、多くの窯址から以前に発掘した破片類の大きないくつもの箱があって、彼らの歴史が人々に役立つよう整理され、再調査されることを待ち望んでもいる。小山氏、赤星氏、柳、その他の人々、私も含めて、この老藝術家に、彼のユニイクな知識を世に出すように努めさせることを、あらゆる方法で説得を試みて来てはいるのだが、彼の気質と老齢で、それが難しいのである。

七月中旬

最近行った二つの放送。一つは「何故西洋の工藝家たちは日本へ来るのか」、もう一つは、柳と一緒で、「外国と日本の工人たちの技能について」の論議である。

八月六日

暑さを逃れ、書きものを進めるために、私たちはもう一度松本の山間の静かさと涼気を求めた。霞山荘の歓迎の人たち。高いアルプスも、月——鎌のような——を再び掲げ星をきらめかせている。

ジャネット・ダーネルが、私の原稿をタイプするために同行して来ている。彼女は最近ニューヨークから濱田の所で仕事をしようとやって来た。南カリフォルニアのブラックマウンテン・カレッジでの私たちの陶藝セミナーを受講したひとりで、そのあとすぐ濱田に日本で入門させて貰えるかどうかを問合せた。濱田がそう決めるのに一年かかり、その間彼女の手紙は返事されずそのままになっていた。彼女は自分のことを片付けて、小さな陶房を閉じ、日本に来たのである。私は東京で会って、行って来たばかりの益子へ彼女が行く手配をした。ジャネットは気骨があり、目的に懸命だ。

私たちは、去年知り合った小さな尼さんを訪ねた。二十五年間、彼女は山頂の藁葺の小庵で、ひとり清らかに、現世の人たちが心安らかな境地に入れるよう、珠数と厨子を保ち祈りの合掌に日を送っているのである。彼女は私たちに青い林檎を出してくれ、私たちは陽光に浸された松本平を眺めやりながら、緑茶を頂いた。帰りしなには、私たちそれぞれに珠数を贈ってくれた。

八月十四日

著述ははかどり、乾山と光琳の章を書き上げて、半世紀前のフェノロサの著『東亜美術史綱』を読んでいる。彼が最初に名づけた「四大装飾家、光悦・宗達・光琳・乾山」という評《ひょう》定《てい》は、これまで私が出合ったどんな叙述よりも、鋭く豊かだと思う。

しかしながら、これらの藝術家、工藝家たちに関する多くの知見が、この間に明らかになり、私がそれに近づくことができるようになって来ているのである。

八月十五日

柳、濱田、河井が来て、仕事はうまく運び、私はジャネットを知るようになった。

九月二日

八月が去り、三ヵ月のあれこれと体験のすべては、過ぎ行く時の中に沈んでしまうのだろう。この数週間、東西の陶工の技についての本のために、去年の夏から引継いで毎日続けていた私たちの長い論議は、全体として生活に関する分野に及んで来ている。製陶の方法は、それを集めれば集めるほど、その意味は、私たちの注意を本質的な根底の問題に向けさせるのである。

方法というものは、意図の結果ではなく、両者ともにほとんど感知し難い変化をするのだ。こうして、前に過ぎ去ったことの結果としての現在の考えが、我々の出発点となる。すなわち、今日の藝術の性格、無名工人から機械の設計者を経て、現代の工藝美術家へと導いて行った進展。両半球の文化の反映としての、東西両洋の焼物の性格と交流。

そこから、ひいては彼ら自身の文化に、また民族の文化的根源や風土・美学・倫理と哲学に、そして究極には宗教的信条に至りつく。これらのすべてから、原理についての共通の同意の重要な度合が明らかになるのである。

私にとっての最大の収穫は、道教や仏教に深く潜み、禅宗藝術と工藝に常に現われている「無」――無所依（Unattachment）の意味の認識において得られた。西洋世界が、栄養と新鮮な霊感とを汲取ることができた、と私が信じているのは、この東洋の泉からである。これは、東洋藝術が育まれた土壌、「渋さ」や「無」や「空」や「無為」や「涅槃」の源である。しかし、西洋と対照的なこの思想の翻訳は、これまではなはだしく合理的思考のニュアンスを染み込ませ過ぎていた。
「無」は単なる消極性ではなく、消極性と積極性とからともに無縁な、不分別《ふふんべつ》の状態なのだ。我々が焼物で最も評価するのはこの性《さが》であり、開かれた窓を風が吹抜けるように、生命の霊気が人を通過するときに、ちらと窺い見る稀有の状態もそれなのである。そのとき、動きは緊張し過ぎることなく、軽やかに自然に流動する。これは「曖昧な総体」への矯正法であるが、個人自主の思想や知性の結果ではない。慎ましき工人の財宝であり、大藝術家の安息の場なのだ。

柳の審美哲学は、濱田庄司、河井寛次郎の一貫した支持を得て、「無名の工人」に対する信頼感にその根を下ろしている。それは、私が小鹿田で発見したような人々や、古く健全な文化の枠内で育まれた生活の中から生まれ出たような作品に根ざしている。このような生活と作品の基礎は、西洋で我々が悲しくも失ってしまっている二つの美徳、信念と謙譲さである。柳の反対論者は、彼とその運動を逆行的だと非難し、かえって民間藝術制作の進歩を阻むものだと言うのである。

私は、そんなことがあり得ると考えるほど柳が愚かであるとは思わない。彼の教義における挑戦は、それよりもっと根本的なもので、近代美術家、工藝美術家、茶人にひとしく向けられているからだ。柳は、近代美術家らが無意識になることを装わなければならないと提議しているのではなく、適当な言葉がないので、かりに私が超意識と呼ぶ状態になるよう提唱するのである。

彼は述べる。美術家や工藝家は、バッハであれ、ベートーベンであれ、光悦であれ、セリニスであれ、彼らの作品は、無名の歌謡作者や、コプトやペルーの綴れ織の知られざる織手たち、また、世界の至る所の、偉大な信仰の保護する無意識の中で粘土や石や金属や繊維に慎ましく取組んでいる無名工人の群の作品よりも、重要性が少ない、と。

これは思い切った価値の再評価であって、強調されすぎた個性主義の堆肥の上で近代美術家の衣をはぎとり、赤裸々にするものである。それはまた現代の社会的価値に対する攻勢でもあるが、真の藝術家の健康な社会の中での適切で控え目な役割への攻撃ではない。柳が提唱しているのは、善き仏教と善きキリスト教の本旨であるところの、自我中心性と驕りを捨て去ることである。

つまり藝術上での自己発見のために自己を空しゅうすることだ。旅行者たる一陶工の私をして言わしめるならば、それは、伝統とはげしい反復作業を頼みとする素朴な方法によるか、または、より自覚的な美術家や工藝家たちの「悟り」、あるいは再統合によるきびしい探究と自己規律によるかの、いずれかだということである。

個人的には、個々の藝術家の再統合の過程、または完璧さの達成ということを、私はもっと強調してもよいかも知れない。と言うのは、私も個人藝術家のひとりだからで、かつまた、西洋人として我々は非統合的だからでもある。だがこのことは、近代の、とくに都市の日本人にも当てはまるようだ。それは、四十年前は、東京の美術家や工藝家は今日よりもっと皆が親密だったことでも明らかだし、また本書の多くのページで、私が注意を喚起してきた模倣と不消化にもよるものである。

日本でのこうした過程は、誇り高い民族の最初の敗戦の結果として止むを得ないことだった、すでに強化された国民的劣等感の増大によって促進されている。それ故に柳が、我々西洋人と西洋化された日本人に提唱するのは、再統合である。ところが、藝術家とは区別された日本の職人にとって、また精神の保守的な人々にとって、それは統合の維持ということなのである。

日本人とその生活については、それくらいにしておこう。彼らの生み出す作品に関しては、その長所と欠点から判断されるであろう。だが、もしその作品が立派なら、その背後にあるものが真理であるということに安心できる。だがその真理は、社会の良き伝統の時代の集合的な真理と比べると、生活の個人的な真理であるかも知れないし、また往々にしてそうなのだ。こうした真理の最上のものは、たとえば文藝復興の高潮期のような、我々の求める慣わしとなっている時代にあるのではなく、むしろそれより早い、おそらく我々が暗黒時代と呼んでいた数世紀にわたる時代にさえ、あるように私には思われる。

こうした孵卵《ふらん》期または燻《くすぶ》りの時代は、五、六世紀の中国を皮切に、日本では、七、八世紀、欧州では十世紀から十二世紀にかけ、炎となって燃え上がったが、多くの人材がいたであろうけれども、炎は二度と再び光芒を放たなかった。それから「豊饒な精力家たち」――後日我々が天才と呼んだ人々が、自ら燃え輝き、聖徳太子や東西の偉大な僧侶のように、共通の目的のため活動したのである。

私が柳の所説を正しく読取っているとすれば――柳はそうだと言っている――以上が彼の真意である。私たちの間での唯一の相違点は、柳が宗教の偉大な包括的な一掃的な統合力が望ましいと思っても、それに近いものも見えないが、彼は、特異な「洞察力」をもつ一日本人として、藝術というものが彼の「美の王国」において、人の心と心の間に通う無言の言語であることを知っているという点である。私は、読者がすでに感じておられるように、大いなる風はすでに吹始めていると信じる。

柳とその支持者に対して向けられている別の同様な非難は、柳や一派が「下手《げて》」もの（日常のもの）については非常に多く語り書くのに、「上手《じょうて》」もの（精製品）についてはわずかしか触れない、というものである。かりに前者を平原、後者を丘とするならば、双方が揃わなくては風景は不完全だし、互いに求め合っているように、私には思われる。

また私が聞かされたように、柳が山について少ししか書かないということが事実だとしても、それはきっと、その山が実はモグラの盛土で、ほんとうの山ではないからなのだ。光悦は丘ではないのか？　バッハは山ではないのか？　などはたしかに贈物のあら捜しをするようなものだ！　しかし我々のこのような時代にあっては、贈物のあら捜しでもやりたくなるという点では、私も柳と同じである。と言うのは、そうしなければ、我々のはまり込んだ轍《わだち》から脱却することができないからだ。我々が轍にはまり込んでしまっていることに気付き、藝術家を含む多くの人々がこれに不満を抱くようになって久しいのだが、その事実を今でも認めようとはしないのである。

しかも柳は、これらの偉才がどちらも彼らの風景の中の山ではなかったとは、決して言わなかった。彼の言わんとしたのは、長い年代にわたって多くの人々が作り出した、より広大な分野があった、ということなのだ。我々は一時代の終末と別の時代の初めにいる。すなわち、全体として人類は円熟期にあり、人類文化の両半分を融合させる最大の実験が苦しみつつ行われている、その焦点の一つが、日本なのである。

英国の歴史家アーノルド・トインビーは、日本がいかにして無鉄砲に産業主義に突入してその遺産の底荷を失ったかを、明快に説明している。彼はまた、「原子力時代にあって、『統合性』は自滅に代るべき唯一のもの」とも述べている。もし私の信じるように、これが真実だとすれば、我々は人類の統合への道を求めなければならない。日本の人々とこの国土の美しさに対する私の愛情と、そしてその文化のゆがみとを超えて、私が再三日本へ帰って来たのはそのためである。それは数々の不十分さをもつ前段の各ページに対する申訳でもある。

これは、藝術の世界への柳の貢献であって、生涯にわたる探究と忍耐と雄弁により、彼は賛同者を集めて、ともに現代の最強の工藝運動を保持した。「無」に照らしての藝術の検討によって、彼は、我と非我、藝術家と工人、個と共同体の間の二元的緊張を打破ってきた。焼物における「無」の最良の例の一つは、李氏朝鮮期の仕事であるが、いかなる悪さも不純さも病弊もほとんど見出し難い、というような領域は、朝鮮の工藝全般を通じて見られるところだ。損われていない、子供たちの絵におけるがごとくに、エゴの突出がなく、自意識に不器量な顔を出させていないのである。

おおよそ、このことはすべての民藝に関して真実である。そういうことは、世界中の無名工人の奉仕であった。人性や文化を分裂させた我々は、もはや無自意識ではない。我々は、個我から総体へ帰る旅、再統合の道程を見つけ出さなければならないのである。

九月

今年、松本へ来る前に、柳兼子夫人が、松本市内で音楽教室を開いている鈴木慎一氏のことを話してくれた。鈴木氏は、日本におけるヴァイオリンの指導的な教師で、非凡な人だと彼女は言い、会うように望んでいた。氏は、適当な時間にその教室に来て、子供たちの演奏を聞くようにと、私たちを招いてくれた。私たちが訪れたとき、ちょうど午后のクラスが始まろうとしていて、着席して見聞したいかどうかと尋ねられた。五歳から十三歳の間の十五名ほどの少年少女たちが広い部屋におり、たくさんの親たちは壁側の椅子にかけていた。鈴木氏が一番年少の五歳の少年を呼ぶと、その子は、全然赤くもならないで、腕の下に小さなヴァイオリンを抱いて、部屋の中央に進み出た。何の騒ぐこともなく、集中し切って、確かなやり方で弓を弦にあて、バッハの短い小曲を弾き、私は驚嘆して背筋を正させられた。とても清純だった。

それから、年長の少女たちのひとりが、バッハのシャコンヌを奏し、私は演奏家のようだと言おうとしたが、それらよりもずっと良かった。何ら効果を求めることなく、——それは正にバッハであった。私はそんな風に子供が演奏するのを聞いたことがなかった。氏は、それから、全員をひとつにし、彼らの前に立って、自分のヴァイオリンで、何の説明も予告もせずに、ショパンやモオツァルトの曲の断片を次々に弾いた。そして次に、子供たちもみんな彼と一緒に正確に自由に演奏した。

私の目から涙が流れ、同行の者たちもまた、深く打たれているのが判った。そのあと、この不思議な日本人の先生は、子供たちを分けて、半数には止めるよう合図し、それから他の半数には、どんな時でも間や中断なしに休まないで続けさせた。次に、彼らが弾き続けている間に、いろいろな種類の質問をした。——「この部屋には電球がいくつある？」、「あの巻紙に何が書いてあるか言ってみて」、「見えなかったら行って見てごらん、でも弾くのは止めないで」、「さあ、片足で立って弾いてごらん、今度は別の足で、次はしゃがんで」。

それから、彼はもう半分のグループに、階段を降りて下の部屋に行き、別の階段を上って来て、残っている子供たちと完全に拍子を合せられるかどうかやってごらん、と言った。子供たちはそうした。彼らは明らかに先生が好きなのだが、すぐに弾き始めて音楽にすっかり夢中になっていた。

そのあと、鈴木氏と大いに話し合った。そして後日、氏とクラス全員、両親たちも一緒に、私たちの霞山荘ホテルに半日招待したのである。ホテルの主人夫婦も従業員たちも、その場の心に溶け込み、私たちは、良き音楽と食物と楽しみの素晴しい時を過した。

鈴木慎一氏は、ドイツに八年間いて、ドイツ女性と結婚したそうである。夫人と別れて彼は帰国し、子供たちを教えるために、自身が演奏家になる考えを捨てた。彼は、音楽における高度な天分のための通常のトレーニングは、普通の子供たちにだけでなく、音痴とされている人たちにさえある、隠れて引出されぬ可能性をほとんど見落していたということを確信するようになった。

鈴木氏は、可能性が見えないのは、完全に後天的条件のせいにほかならない、と結論する。それは私には受入れ難く思われるのだが、しかし、先天的と後天的のどちらでも、多かれ少なかれ、大きな可能性は現れて来ているようだ。事実、鈴木氏の教えた子供たちは大部分が後者であって、一番良い生徒もそうだったのだが、幾人かはさらに学習するために、西洋の著名な師のもとに送られている。

音痴と言われている子供は、非音楽的な場、あるいは音楽への恐れによって作られたもの、というのが鈴木氏の信念である。そして、傷つけられたものを元へ戻すには、その状態が作り出されたのと同じ長い年月がかかる、だから、うんと年少の子供たちとスタートしたい、と彼は考えるのだ。氏はわずか二歳の子供のことを話してくれた。その子に、一番単純な曲を毎日数分間弾かせることから始めて、絶えず繰返すことで、子供の聴覚の情感に染み込ませ励ますようにしたのである。この人は、ただに音楽のみでなく、会話にもみられる解放の術を持っている。彼の人間の魂にある無限の可能性を見、自らの天賦の力を知り、輝いていた。子供たちもそうだった。

鈴木氏は、子供たちがたやすく母国語の複雑な操り方をマスターする事実を熟考して、その斬新な結論に到達したのだ、と語った。私が尋ねたひとつの要点は、なぜ日本の山国の子供たちに外国の音楽を教えているのか、ということだった。彼は子供たちの方を向き、子供たちはいろいろな日本のメロディーを弾いた。私に向き直って彼は答えた。「ただ人類の音楽だけがある、と私が考えるのは間違っていますか？」

私が鈴木氏の前提をすべて完全に受取れるかは不確かだが、結果は不可避の権威を以て語っていて、私たちは単に深い印象を受けたばかりでなく、少なくとも、彼の結論を私たちの関わる工藝の教育に関連づけ始めていたのである。

八月〔ママ〕二十八日

それぞれの魂には、その外枠ではなく内側に、測り知れぬ深さがあるように見えるが、その深さが測れるような状態であれば、それ故に、どんな小我の自己主張もなしに、隠れている豊かさが露われてくる。それは我々が乗組んだ発見の旅だ。小我の束縛を離れて、人生へのかかる献身に見知らぬ思いがけぬ場所で出合うとき、それはなんと感動的であることか。

松本の向う側に住んでいる小平氏から、私たちは夕食の招きを受けた。氏は鈴木氏の友人で、焼物を集めており、釣人である。私たちは、その朝彼が三時半に起きて、山の渓流で釣ってきた鱒を御馳走になった。釣人のことをおしゃべりして、彼は、釣好きはみんな少し〝おかしい〟ことを肯い、彼らは、自然とともに独りになるために、あるいは気がかりなこと、妻や子のことを忘れるために釣をするのだ、と言った。

また、魚を捕ると言うよりは、魚と遊ぶために、魚――奇妙な魚――になるため、とも言った。私は、英国の渓流の畔の、セーヌの岸の、そしてあらゆる所の、水と空との間に時を忘れる釣人たちのことを想った。

今日、東京からの長距離電話があって、かつて英国のオブザーバーとして参席することを頼まれたように、アジアで最初のユネスコの会議に来られないかどうかを尋ねてきた。ロンドンからも、パリからも、あらかじめ連絡は受けていなかったし、日本の工藝運動の指導者たちは私とともにいて、教育における工藝の問題を扱っていたこの会議のことを何も言わなかったので、私はびっくりした。ずっとあと、東京で会議が始まって二週間経った時、私は、ロンドンからの公式の書簡を受取った。航空便ではなかったのだ！

私は、できるだけ早く仕事を片付けて、東京での会合の後の方の二週間に出席し、何が行われていたかを知ることにした。このところの忙しい日々、私は日夜この日本語版への項を仕上げ、ジャネットのタイプ文を正し、そして、毎日新聞社へ急いで送り出して、やっと肩の荷が軽くなり解放感を味わった。

私たちはまた、何度かお別れの会に出たが、ある席では、ピリッとするタルタルソースで匂いを消した生の馬の薄肉を盛った、とても並でない日本料理が出た。私たちは、熱い日本酒を何杯か飲んで自分たちの守りを固めるまでは、英国やテキサス（ジャネットの故郷）の先入観を克服することはできなかった。しかし、以前の生の魚への反感を思い出しながら、その肉を味わってみると、同じように柔かくおいしいのが判った。私たちが努力して食べてこれも良しとした別の珍しい食物は、蜂の子であるが、今度は出なかった。

最後の会は、霞山荘ホテルの主人、中村さんとすてきな太った奥さんによるものだった。食事は外で、日本ではジンギスカン焼と称されている、炭火の上の鉄板で、それぞれ自分で薄い牛肉と玉ネギとニンニクを焼き、醬油につけて御飯と一緒に食べる料理で、まことにおいしかった。中村さんはスピーチをして、私たちを「これまでで一番歓迎したお客だ」と言い、「自分を古い友人とお思い頂きたい」と述べた。

九月十日

東京の柳の家に戻り、続いて、次の朝、スーツケースを持って会議場となっているホテルへ赴く。ユネスコの管理者のトレヴァー・トマス氏と、マドラス美術工藝学校長のショード・ハリー氏、それに、十四ヵ国（うち東洋八ヵ国）からの三十〜四十名の参加者の何人かに紹介された。

私は、はじめの二週間にどんなことが行われたかを聞いて把握しようとしたが、民藝協会の代表者が出席していないのに驚かされた。私の驚きは、やがて民藝協会の存在が無視されていることが判り、アメリカ代表の一人から、彼が民藝館がどこにあるのかと質問したら、日本の役人の答は「それは何の美術館か？」であった、ということを聞いた時、いっそう増大した。

私は説明する場を求め始めた。機会が来た時、手短かに民藝館と民藝協会がして来た仕事の話をした。予想に反して、何人かの日本人代表者から、私は賛同を受けた。実際には、日本の文部省は、その建物内に、調査に鋭い目配りのできるオフィスを保有していたのである。戦後になってさえ、権威への服従は残っており、自主独立は認められていない。しかし、外国人として私がひとたび球を転がし始めると、現実に日本人代表者は、より自由に語り易くなったように思えた。それでもなお、公的な流れがおもに追従されなければならなかったのだ。

日が経つにつれて、私たちは、大いに興味ある幾つかと、うんざりする幾つかの新聞を見た。そしてそこには、鋭い議論や好ましい共感の拡がりがあったが、精神はダーティントンにおける会議のそれとは、活気も洞察も比較にならない。私は、柳と濱田が、ダーティントンでも、アメリカでも、いかに会衆の心を奪ったかを、ただ思い出し得るのみだ。しかるに、ここ柳たちの故国では、彼らと彼らの意味していることとは、不届きなほど無視されている。

この会議が、日本と東洋の工藝に関する柳の説を聞かなかったために何を失ったかを、私は、私の読者に判断して頂かねばならない。

工藝全般の概説風な手引書への、東洋六ヵ国の要望を考慮する分科会の座長に、私は要請された。この分科会は、二、三日の話合いののち、次のような結論を出した。

(一)　子供たちは、手引書はない方が良い。そのような書物は、長じた段階、すなわち、高学年の学生や教師たちに価値あるものとなる。

(二)　一巻で、すべての主要な工藝を網羅し、異なる世代のグループに適合するような技術を扱うことは不可能であろう。

(三)　従って我々は、時を得て、それぞれの工藝は、共通の原理と実践に基づく固有の手引書を持つべきことを提案するが、編纂者は、地方的価値以上のものを持つと考える各地の諸工藝への絶えざる言及によって、活気づけられるべきである。
（四）藝術と工藝を教授することは、教育の基本的な部分であるべきと我々は信じ、現代の子供をすべての文化の美的背景へと導き入れ、そこから始めて他へ拡げることは、ユネスコの格別の役割であると考える。
（五）現段階では、手引書の代りに関係するアジア諸国それぞれが、伝統的と現代的のいずれもの各自の工藝を調査し、ユネスコに報告することを提議する。ユネスコ本部が、それによって、少なくともアジア各地の異なる条件を、より完全に把握する機会が得られるようにするためである。

会議が全員一致で、我々の提案を採択したことを私は喜んでいる。

全体会議に加わって九日間、段々と明らかになって来たのは、アジアのとくに日本の代表者から、彼らの真意の自由な表明を得ることがいかに難しいか、ということだった。そういう機会や励ましがないからではなく、著しく西洋的な取扱い方法と東洋的な心が、そうそう容易には働きにくい舞台であることのためだ。

藝術や工藝のおそまきの注入が求められている教育は、圧倒的に西洋および工業化後の世にぴったりなのである。この会議のメンバーの大部分は、その中で仕込まれており、東洋文化に対しても、教育と工藝の双方へのアプローチのどんな差異にも、注意はほとんど払われて来なかった。これは悲しむべきことと私には思える。そして、世界中の好意とともに、ユネスコの努力から生じる灰色の国際主義の危険も存するのである。

たとえば、ヨーロッパやアメリカにおける工藝へのアプローチの差異を考えるとき、そこでの目的は個人性と創造性であり、インドや中国や日本の数多くの僻地の村々では、正常な製産の伝統は、守られた非意識の中で親方から弟子へと伝授の手ほどきにより、何世紀もの間伝えられるのであって、授業の標準化された方法は見られず、また必要でもないことが明らかになる。

ひとりの英国工藝家としても、日本の工藝人の古くからの関係者としても、私は、一世代から次世代への工藝技術の伝承のための、適切な場である講習所を設けることを嘆願したい。有用であるとともに美しい、物を作る伝統の健やかな技の衰退とともに、皆でともに経験する時代を外れて、我々は、どの工業化された国においても、ひと握りの美術家・工藝家だけがまことの永遠の価値ある作品を生み出す状況に到っている。かかる美術工藝家たちの当然の願いは、制作することであって、教えることは二の次の問題なのだ。

事実、我々にとって、教師を教える信頼できる工藝家は不十分で、そのために、工藝の教師は、きわめて高いパーセンテージで、アマチュアの技しかない理論家なのである。彼らはすべて、あまりにもしばしば悪い材料と、似非職人の道具と不十分な時間とで、半ダースもの生かじりの工藝を習い、教えることをともに求められるのだ。彼らは、不信と非実際的な大勢の人の、知的でない趣旨の蔑視に出合う。もし、彼らの奨めることが真の藝術や工藝の広い認識であった、という何らかの保証があったら、それはそんなに大きな問題ではないだろう。

しかし、英国でも、また私が試験をしたどこかほかのいずこでも、彼らの仕事は、学生の卒業制作に見られるが如きもので、教育のない田舎の工人たちのそれと比べると、ほとんどいつも決ってひどいものなのである。関連して二つの問題がある。一は一般教育課程の一部としての工藝の授業、二は工人たちの専門訓練である。工業化が高度になればなるほど、その国ではこの両面での教師の不足が増す。西洋で我々が矯正する必要があるのは、表面的な誤った教育で工藝の知識を拡げることだ。訓練はしてし過ぎるということはない。

これと異なって、工業化の少ない国では、伝統はより健全に、工藝の技はより多く残っているが、それらに対する教育当局の側の認識や判断の少なからざる問題がある。とにかく、伝統的工人と自然素材は存在しており、ほんとうの教育がはるかにすばらしいものとなるために、私たちとともに、工藝を寄与させることに、もはや何の問題も難しさもないのである。

東洋には、常に次世代へ基準や技能を伝えて行く独自の方法があったし、西洋でも、産業革命以前は我々もそういうものを持っていた。我々特有の西洋的な組織と外面的な明快さは、非凡な感性と善意の持主によって東洋へ提示される場合でさえ、東洋の方から根本的に異なる寄与が来なければ、二流の東洋工藝の量の増加を招くだけなのだ、と私は非常に強く思う。

教育や工藝への外面的な関与が工業化の少ない所の人々に及ぼすであろう害は別として、人間精神の表現としての仕事の新鮮な理解を、世界は必要としている、ということを私は確信するものである。

我々は、総体性への我々の埋もれた能力を解き放つ手段を、まだ見つけ出していない。原子核を分裂させるだけでなく、我々は自らを役立たせなければならない。そして、何とかして、細部を、心を、頭や手を、もう一度ひとつにしなければならないのである。

九月二十九日

私は、柳や濱田と一緒に鎌倉の鈴木大拙博士を再び訪ねた。夕食のあと、真宗の「親様」という概念に関して、キリスト教の「神」のそれとの比較で私が質問したのに対して、彼はこう答えた。「あなた方のユダヤ的な西洋の考えは、神を父とするものですが、『親様』はまさに母なのです」

彼はちょっと間をおいて、次のような魅力的な小註をつけ加えた。「ある時、キリストは、聖ペテロと天国巡りをしていて、言われました。ペテロよ、あそこに本当は入れられてはな

濱田家のポーチで（濱田、三笠宮、リーチほか）

らない住人が、幾人かいるようだ、と。ペテロは答えて、主よ、私もそうではないかと思い、主の御指図に正しく従おうとしたのですが、困りました。ことに、聖母様が、いつもふさわしからざる者たちが窓から入って来るままにしておかれるのです。御親切すぎます」

十月十八日

私の最終展への出品作を完成させるため、益子へ最後の訪れをした。

この二、三日間に、天皇の弟の三笠宮が一泊でお出になり、濱田に焼物の歴史について幾つかお尋ねになった。宮自身が歴史家だからだ。訪問は非公式で、役人のお供はなかったが、家や周辺はひそかに私服たちに取囲まれていた。

あとで知ったのだが、濱田家による、目立たないが行届いた準備がなされていたのである。

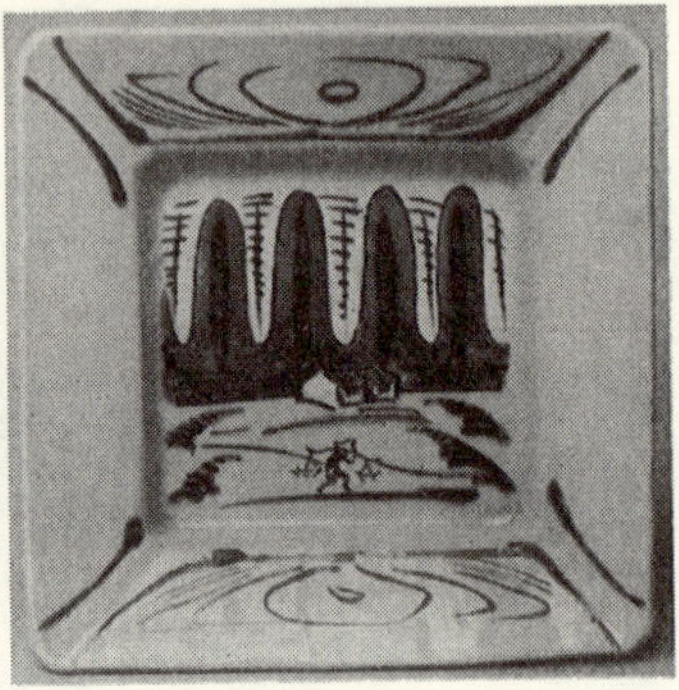

色絵皿（九谷での作）

障子の張替えや畳の表替えが行われ、風呂場のコンクリートも塗り直されるなど。濱田夫人とお手伝いさんたちは、最上の郷土料理をこしらえた（夫人はすばらしい料理人である）。

しかし、濱田は、仕事着の「もんぺい」——粗野だが清潔な藍染のズボン——をはいたままだった。これは、型破りながら不作法ではない濱田の特性を示している、と私は思った。

ジャネットと私とリチャード・ヒイブは、宮に紹介され、長い丸テーブルについて盛んに食事をし、それから囲炉裏の周りに集まって、宮のお寝みの時間まで、焼物やいろいろなもののことを気楽に語り合った。「殿下」と呼ばれる宮は、風呂を召され、新しい家屋のお部屋へと案内された。

翌朝は、おきまりの新聞写真、そして、すぐれた古い郷土舞踊の獅子舞を演じる、近在の小邑からの人たちが来た。

宮はお帰りの途中で、益子の老婦人皆川マスの小さな家に車を止められた。彼女はもう歩けなくなっているので、宮にお願いして、お入り頂き、お茶を召上って頂く栄に浴した。

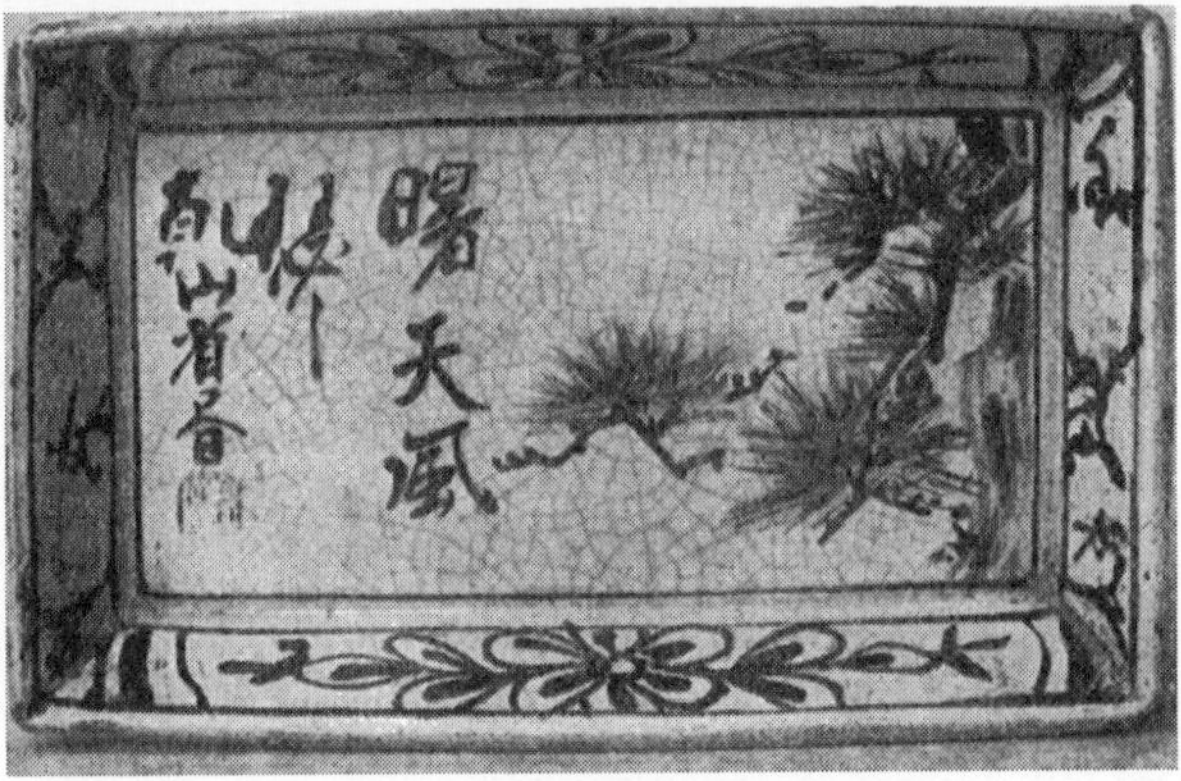

初代乾山　松絵　長角皿（リーチ蔵）

そうこうして、益子に別れを告げた。

十月二十二日

大阪へ。関西クラブでのお別れパーティーは、四十人ほどの工藝家と何人かの外国人が集り、野点《のだて》の会だった。

翌日は、富本と車で、以前一度行ったことのある「播半」を訪れ、夜を過した。そこから京都の堀内家へ。

十月二十六日

大原氏の車で丹波へ赴く。ジャネットは来冬中そこで仕事をしたいと望んでいるが、寒さやきびしい山の暮しにどう耐えられるだろうかが心配だ。窯場の工人たちは、狭い谷を横切って、私たちを古い窯——どこかに「盛土窯」として書いたことがあった——の址を見に連れて行ってくれた。丸い屋根のある長い窪みが斜面を下っていて、下に主焚口が、他方の端に煙出し口があり、側面には、ちょうど地面の上の高さで丸い穴が並んでいる。そこから、詰められた焼物群の上に薪が真直ぐに押し込まれ、火熱が窯を上へ上へと伝って行くのである。この窯址は約五百年前のもので、現在の中国、日本、朝鮮の登窯に受継がれている、その原型であることは疑いない。丹波焼の伝統は千二百年も遡る、日本で最も古いものだ。

京都に戻り、何度か富本を訪れて、水尾君と私が進めている初代乾山の陶法伝書の翻訳を検討した。最終日に、富本という所へ大阪の工藝店主の森口がやって来て、私に見せるものがあって何時間も探していたのだ、と言う。

彼は色染の風呂敷を解き、古い箱から色褪せた青い木綿で包んだ十枚組の皿を取出して、富本と私の間に置いた。私は興奮した。分ってる、その土、その釉と絵の具、筆使い。私は富本を見、彼は私を見返して肯いた。そう、疑いもなく、初代乾山が鳴滝で作った皿類だ。私は、売物かどうか、もしそうなら値段は、と尋ねた。

森口は、これは自分の友達の友達のもので、市《いち》に出たことはないこと、彼の友達は、私が乾山の作品を持ちたがっていると聞いていたこと、それで自分は品物を預ってできるだけ早く私に連絡しようとしていたこと、などを語った。値段は適当だった。私は森口に熱く感謝して、その場で買い求めた。以前に大英博物館の地下室で、私は同じ組皿の一枚を見つけたことがあったのである。

十月二十七日

送別の大きな晩餐会が、アラスカレストランであり、たくさんのスピーチがなされた。大部分は京都民藝協会員で、十人ほどの外国人が出席していた。その一人に、バヴィアーという英国人がいた。一、二度会ったことがあるが、とても落着いた人で、正しい和服を着てみごとな日本語を話した。参会の皆が驚いたのは、スピーチの代りに、彼が中国の古い詩人が書いた送別の詩を巧みに感情をこめて吟じたことだった。私は感動し、そして別れが近づいていることをひしひしと感じた。

十月二十九日

三越百貨店で、私の最後の展覧会が今日始まった。これまでで最大の会で、七十枚の素描と二百五十点の陶器、私がデザインを助言した椅子とテーブルのセット六組と洋家具のモデルルームなどが出品された。家具類はこの店でいつも売っており、支配人が私に選択と配置を依頼したものである。

昨夕六時、会場に来てみたら、私の知らぬ間にこの広い部屋に、手に手に紙や額や掃除具などを持った三十人ほどの友人たちが集って手伝っていた。何の混乱もなく、すべては真夜中までに完了し、上乗《じょうじょう》に仕上げられたのだった。

会は混雑した。三笠宮が昼食時に、高松宮はお茶に来られた。英国大使エスデル・デニング卿や多数の外国人も見えた。実際、閉会までには全作品が売切れてしまい、私は完全に圧倒される思いだった。運営の良さは驚異的で、十二分であった。

十一月二十日

日本民藝館で、最後のお別れの会が開かれた。各地から——はるばる九州からも——の工人たちの挨拶。私は答えようとしたけれども、何を言ったのかわからない——とても足りぬところだらけだったと思う。疲れて、嬉しくて、悲しくて、ほんとに支離滅裂だった。この第二の故国での二年近い日々、至る所の親切と豊かな扱いはまことに大きくて、再びこのような場に出会えるなど、全く考えられない。見誤りやし残したこと、自分のうっかりした間違いなどのことが気がかりである。

ヨーロッパや英国は、あまりに遠く思えるが、私は帰らねばならないのだ。

十一月二十六日

残った十五分間ですべてを荷作りし、始末する。柳家の長屋門で子供たちや何人もの人にお別れを言い、羽田への車に乗る。空港の手続や非個人的な事ども、多数の集まった友人たち、写真撮影、最後のこまごました贈物、電報、言伝《ことづて》、二つの新聞のインターヴューと最後の録音。

それから柵を通り、束ねた荷物を持って、見送りの人たち皆を長く長く眺め、タラップを上って乗込み、座席の窓から手を振る。滑走路を速く、さらに速く走り去り、ひとりきりで、夜の空に舞い上る。

あとがき（旧日本語版）

一九五二年の末、東洋へ帰るこの長い旅に出発する前から、私は日記をつけることと、その日記を折にふれガリ版刷りとしておくことを決めた。つまりそれによって、これからの私の種々の経験を、西洋にいる約三、四十人の私の友人にわかち得るようにするためである。誰かが毎日新聞にこの渡り駒鳥日記の話をしたとみえて、とにかく私はその日記の刊行についての申入れを受け、これに同意した。それは私の第二の故郷となった日本についての、若干の私の評論や、批判がましいものでも、いつかは日本の友の心にこだまするかも知れぬと希望するからである。

この文章と絵は、全く折にふれ時にふれ、それもほとんど旅行中に筆をとったものである。したがって、形式とか相互関係があるいは適当でないかも知れないが、それはよく観察してある程度判っていただき、せめて埋合せにしていただきたいと思っている。

本書に引合に出したすべての人々、わけても私に日本の真と美なるものを見失わぬよう教えてくれた柳宗悦、濱田庄司、河井寛次郎の三氏と、もはやこの世にはいない他の多くの人々に深い感謝の意を表したいと思う。こうした人々のために私は本書を捧げるものである。

一九五四年十月

バーナード・リーチ

バーナード・リーチ年譜

水尾比呂志編

一八八七年（明治二〇年）　〇歳
一月五日香港に生れる。父は弁護士。誕生後間もなく母に死別。日本在住の祖父ハミルトン・シャープに引取られ、京都および彦根で祖母に養育される。
一八九〇年（明治二三年）　三歳
この頃、父の再婚により香港へ戻る。
一八九五年（明治二八年）　八歳
父の転任でシンガポールに移る。
一八九七年（明治三〇年）　十歳
叔父グランヴィル・シャープに伴われ英国に赴き、Beaumont College に入学。
一九〇三年（明治三六年）　十六歳
父、帰英。美術を学ぶことを許され、Slade School of Art に入学。ヘンリイ・トンクスに師事。レジナルド・ターヴィと親交を結ぶ。
一九〇四年（明治三七年）　十七歳
一一月、父、死去。父との約束により、香港上海銀行員となる準備をする。叔母の家に寄寓、従姉エディス・ミュリエルと愛情を結ぶ。
一九〇五年（明治三八年）　十八歳
香港上海銀行に採用され、ロンドンにて就職。
一九〇六年（明治三九年）　十九歳
銀行員生活に堪え得ず辞職。美術家となる決心を固め、London School of Art に入学。フランク・ブラングインにエッチングを学ぶ。ターヴィと再会。
一九〇七年（明治四〇年）　二十歳

小泉八雲を愛読、日本を追慕再遊を志す。美術学校で高村光太郎を識る。エディスと婚約。

一九〇八年（明治四一年）二十一歳
美術学校を退き、イタリアを旅する。エッチングの最初の作「ゴシックの精神」などを制作。

一九〇九年（明治四二年）二十二歳
三月、日本へ旅立つ。エッチングで生計を立てる予定で、シンガポール、香港、長崎を経て、四月、横浜着。東京上野桜木町に家を建て、エッチングを教授。児島喜久雄・里見弴・岸田劉生入門。柳宗悦・志賀直哉らと交遊。
一二月、来日したエディスと京都同志社にて結婚式を挙げる。

一九一〇年（明治四三年）二十三歳
茶の会で楽焼を見て製陶に興味を抱き、宮川香山に手ほどきを受ける。

一九一一年（明治四四年）二十四歳
四月、『美術新報』主催新進作家展に、エッチング、素描を出品、好評。
五月、長男デヴィッド生れる。来日したターヴィの紹介で富本憲吉を識る。
一一月、『白樺』主催洋画展に出品。『白樺』に寄稿を始める。

一九一二年（明治四五年、大正一年）二十五歳
淡島寒月、石井柏亭、富本憲吉に計って、六代尾形乾山に入門。富本憲吉にもすすめて入門させ、のちともに皆伝目録を受ける。ヒューザン会展ほかへ絵画作品を出品。

一九一三年（大正二年）二十六歳
自家の庭に築窯。製陶を行う。『白樺』の装幀をする。
五月、次男マイケル生れる。
柳宗悦、富本憲吉と交遊繁く、旅行する。
一一月、赤坂福吉町へ移る。

一九一四年（大正三年）　二十七歳
最初の著作『A Review』を柳宗悦の訳をそえて出版。銀座田中屋及び三笠画廊で最初の個展を開く。

一一月、単身北京へ。年末一時帰日。ウェストハープと仕事を始める決意をする。

一九一五年（大正四年）　二十八歳
「The Meeting of East and West in Pottery」を『The Far East』に寄稿。

七月、一家とともに日本を去り、北京へ赴いて東単牌楼に住む。

九月、長女エリナ生れる。

一九一六年（大正五年）　二十九歳
ウェストハープとの仕事進まず、九月来訪の柳宗悦に日本へ帰ることを勧められる。

一二月、北京を去り再来日。奈良安堵村の富本憲吉の窯で制作。年末、東京原宿に家を持ち、乾山の本窯を譲り受けて、我孫子の柳邸内に築窯にかかる。

一九一七年（大正六年）　三十歳
早春、我孫子窯完成。初窯は失敗したが、その後毎週四日間柳邸に滞在して制作。秋、奈良に富本憲吉を訪う。

一二月、神田流逸荘にて個展。

一九一八年（大正七年）　三十一歳
志賀直哉『夜の光』、『白樺』などの装幀をする。

一二月、流逸荘個展。草土社展へも出品。濱田庄司を識る。

一九一九年（大正八年）　三十二歳
濱田庄司、我孫子訪問。

五月、我孫子窯焼失。国民美術協会員となる。

六月、流逸荘個展、家具も出品する。

駒沢に転居、黒田清輝の厚意により麻布の黒田邸内に築窯。東門窯と命名し制作。

一九二〇年（大正九年）　三十三歳

五月、柳宗悦と朝鮮旅行。大阪高島屋で個展。河井寛次郎の窯を見る。

六月、流逸荘で送別展。濱田庄司を伴い帰英。

八月、双生児ヂェサミンとベティ生れる。

九月、マージョリー・ホーン夫人の後援でCornwall の St. Ives に濱田庄司と登窯を築く。

一九二一年（大正一〇年）　三十四歳

四月、Friday Club 展に出品。

柳宗悦、富本憲吉、岸田劉生、高村光太郎の四氏へ複写紙刷の近況報告を送る。

秋、ロンドンの Artificer's Guild で最初の St. Ives 窯の個展を開く。

一九二二年（大正一一年）　三十五歳

Cotswold Gallery にて個展。Drapers' Hall 展へ出品。

ホーン夫人のギルドより独立し、Leach Pottery を設立。

一九二三年（大正一二年）　三十六歳

四月、流逸荘にて帰英後初の日本における個展を開く。

『白樺』リーチ号を出す。Wembley 展へ出品。

Paterson's Gallery, Three Shields Gallery で個展。

関東大震災に際し、ナンスの戯曲を上演し、収益金を震災義捐金として日本へ贈る。

マイケル・カディウ入門。濱田庄司帰国。

一九二四年（大正一三年）　三十七歳

The Guild of Potters Exhibition ほか諸展覧会へ出品。

キャサリン・プレイデル・ヴォーヴェリイ入門。

一九二五年（大正一四年）　三十八歳

六月、鳩居堂にて個展。

Leach Potteryに関する記事を集めた小冊子を刊行。

ノラ・ブレイデン入門。

一九二六年（大正一五年、昭和一年）三十九歳
六月、Paterson's Galleryで個展。

一二月、鳩居堂で、リーチ、マレー、メーレ合同展を開く。

一九二七年（昭和二年）四十歳
京都のブレイク百年記念展に出品。

Three Shields Galleryで個展。

一九二八年（昭和三年）四十一歳
『A Potter's Outlook』と『Guide to Leach Pottery』を刊行。

Beaux Arts Galleryで個展。

一九二九年（昭和四年）四十二歳
春、柳宗悦と濱田庄司をSt. Ivesに迎える。

五月、国展会員となり出品。

濱田庄司の個展に紹介文を発表する。

An Exhibition of the Work of Present Day Pottersへ出品。

The New Handworkers Galleryなどで個展。

一九三〇年（昭和五年）四十三歳
一月、滞米中の柳宗悦の世話でハーヴァード現代藝術協会主催の日英現代工藝展に、リーチ、河井、濱田、富本の作品出品。四月、聖徳太子奉賛展にも四氏出品する。

第五回国展に出品。

長男デヴィッドとともに制作。

一九三一年（昭和六年）四十四歳
四月、Beaux Arts Galleryで富本、リーチ合同展を開く。

七月、大阪丸善でリーチ、カディウ、マレー合同展を開く。

一〇月、The Little Gallery で個展。

一九三二年（昭和七年）　四十五歳
Dartington Hall の講師となる。

二月、白木屋の西欧工藝展に出品。

一〇月、The Little Gallery で個展。

バハイに興味を抱く。

一九三三年（昭和八年）　四十六歳
四月、国展で回顧展開かれる。『工藝』二九号、リーチを特輯。

秋、日本訪問を企画する。

一二月、鳩居堂で個展。

Beaux Arts Gallery で富本と合同展。

一九三四年（昭和九年）　四十七歳
四月、式場隆三郎編『バーナード・リーチ』刊行。

同月、来日。神戸に迎えた河井、濱田、柳とともに京都河井宅に滞在。

五月、一同下野栗山村に旅行。

八月、中国、九州路を巡歴。現代日本民藝展を準備。

この間、益子の濱田窯、東京の富本窯、京都の河井窯、松江の船木窯、九州の二川窯で制作。

一一月、東京高島屋にて二万点を出品する現代日本民藝展が開かれ、そのモデル・ルームの書斎を設計（食堂は濱田、台所は河井）。高島屋、松坂屋で個展。

『工藝』四六号、リーチを特輯する。

一九三五年（昭和一〇年）　四十八歳
二月、河井窯にて作陶。

三月、大阪高島屋で全国民藝展。

五月、柳宗悦邸にて、柳、濱田、リーチらに対し、大原孫三郎より寄付申出。河井も上京して、日本民藝館設立の協議を行う。

同月、朝鮮経由、シベリア鉄道にて帰国。

一〇月、日本民藝館、駒場八六一番地に定礎起工。
東京高島屋でリーチ送別展開かれ、河井、濱田ともに出品。
リーチ編『工藝』五三号、現代工藝作家特輯。
一九三六年（昭和一一年）四十九歳
Dartington Hall に窯を設け、制作に専念。
The Little Gallery で個展。
一九三七年（昭和一二年）五十歳
スリップウェアーの制作を止める。
重油燃料に切換える。
一九三八年（昭和一三年）五十一歳
ウィリアム・マーシャル入門。
一九四〇年（昭和一五年）五十三歳
『A Potter's Book』を刊行。
Dartington Hall で現代作家及び古作品展を開く。

バハイに入信。
一九四四年（昭和一九年）五十七歳
ローリー・クックスと結婚。
一九四六年（昭和二一年）五十九歳
Berkeley Galleries の展観に際し『The Leach Pottery 1920-1946』を出版。
一九四七年（昭和二二年）六十歳
秋、ロンドンで帰英後二十六年目の記念展を開く。
一九四八年（昭和二三年）六十一歳
National British Craft Center の創設に参画し、英国工藝関係者の助成に努力する。
一九四九年（昭和二四年）六十二歳
ゲティンバーグ、オスロー、コペンハーゲンで展観。
デンマーク美術工藝協会会員となる。
一九五〇年（昭和二五年）六十三歳

四ヵ月間、全米各地で巡回展を行い、指導に当る。

米国陶磁協会よりビンズ賞を受ける。

一九五一年（昭和二六年）　六十四歳
『A Potter's Portfolio』刊行。

一九五二年（昭和二七年）　六十五歳
七月、Dartington Hall で開催の国際工藝家会議を主宰。

英国陶磁染織の回顧展、濱田と作品展を開く。

Beaux Arts Gallery でも濱田と展観。

一〇月、柳宗悦、濱田庄司と渡米、四ヵ月巡歴し実技と講演を行う。

一九五三年（昭和二八年）　六十六歳
二月、三回目の来日。

上野松坂屋で個展。日本各地を旅し、益子、九谷、布志名、小鹿田で作陶。

五月、水尾比呂志を助手として、琳派の研究を始める。

八月、柳、河井、濱田と信州霞山荘に滞在、共著『焼物の本』のための座談を連日催す。

一一月、大阪で河井、濱田との三人作品展。

一九五四年（昭和二九年）　六十七歳
二月、柳、河井、濱田と『焼物の本』のため房州濱田屋に滞在。

六月、大丸神戸店で、河井、濱田との陶藝三人展。東京高島屋で富本を加えた陶藝四人展開催。

九月、東京で開催された国際工藝家会議にオブザーバーとして出席。

一一月末、帰英。

一九五五年（昭和三〇年）　六十八歳
長男デヴィッド、次男マイケル、独立する。

『日本絵日記』（柳宗悦訳）毎日新聞社より刊行。

一九五六年（昭和三一年）　六十九歳
ジャネット・ダーネルと結婚。
一九五七年（昭和三二年）　七十歳
Liberty & Co. で個展。
一九五八年（昭和三三年）　七十一歳
Primavera で個展。アメリカ巡回展を行う。
一九六〇年（昭和三五年）　七十三歳
Faber & Faber 社より『A Potter in Japan』を刊行。
BBCでA Potter's World を制作。
一九六一年（昭和三六年）　七十四歳
一月、Art Council Gallery で作陶五〇年回顧展。
Exeter Uuiversity より名誉文学博士の学位を受ける。
五月、柳宗悦歿。八月、四回目の来日。
九月、日本民藝館にて作陶五〇年回顧展。同館、白木屋、倉敷民藝館、大丸で英国中世陶器を展示。大丸でリーチ濱田二人展。
オーストラリア、ニュージーランド、アメリカを旅行。
大原美術館が、リーチ、河井、濱田、富本の作品を常陳する陶器館を新設。一一月開館式に四人出席。
一九六二年（昭和三七年）　七十五歳
一月、新発見の佐野乾山作品を見て激賞。真作と断定する。同月帰英。
The Order of C. B. E. を受ける。
Primavera で濱田と二人展。
Louvre で展観。
一九六四年（昭和三九年）　七十七歳
Primavera で個展。
四月、沖縄の日本民藝協会全国大会に出席。五回目の来日。

七月、東京三越で陶器と素描展。中国、九州、北海道を旅行。水尾比呂志と琳派研究および柳宗悦論文英訳を進める。一二月帰英。

一九六六年（昭和四一年）　七十九歳
三月、Primavera で個展。
ヴェネズエラ、コロンビアで濱田、フランシーヌ・デル・ピエールと三人展。
五月、六回目の来日。勲二等瑞宝章を受ける。
同月帰英。
一一月、七回目の来日。東京三越で代表作展及び近作展。
Faber & Faber 社より『KENZAN and His Tradition』刊行。一二月帰英。
濱田庄司編『バーナード・リーチ』刊行。

一九六七年（昭和四二年）　八十歳
一〇月、東京美術より水尾比呂志訳で『KENZAN』の日本語版を刊行。『A Potter's Work』を刊行。
Crane Kalman Gallery で個展。濱田、河井と大阪大丸で三人展。ハンブルグで濱田、フランシーヌ・デル・ピエールと三人展。

一九六八年（昭和四三年）　八十一歳
濱田を St. Ives に迎える。
Primavera で、ジャネット・リーチ、ルーシー・リーと三人展。

一九六九年（昭和四四年）　八十二歳
三月、ジャネットを同道、香港、沖縄を旅行ののち、八回目の来日。
四月、大阪でジャネット・リーチ展。柳宗悦論文の英訳を進める。五月、帰英。

一九七〇年（昭和四五年）　八十三歳
国際工藝家会議に出席。

一九七一年（昭和四六年）　八十四歳
四月、九回目の来日。東京三越本店、岡山天満屋で展覧会。

大阪大丸でジャネット・リーチ展が開催され、濱田とともに賛助出品。六月帰英。

Marjorie Parr Galleryで個展。

一九七二年（昭和四七年）　八十五歳

柳宗悦の論文を翻訳した『The Unknown Craftsman』をKodansha Internationalから出版。

視力衰える。

一九七三年（昭和四八年）　八十六歳

四月、一〇回目の来日。東京三越、岡山天満屋で個展。

濱田とともに輪島に旅行、同地の漆工藝を見学する。

六月帰英。

七月、Companions of Honour（C. H.）を受ける。

Faber & Faber社から詩画集『Drawings, Verse and Belief』を出版。

一九七四年（昭和四九年）　八十七歳

一〇月、国際交流基金賞を受賞、授賞式出席のため一一回目の来日。同月帰英。

一九七五年（昭和五〇年）　八十八歳

Kodansha Internationalから『HAMADA, Potter』を出版。

一九七六年（昭和五一年）　八十九歳

『A Potter's Challenge』を出版。

一九七七年（昭和五二年）　九十歳

Victoria and Albert Museumで回顧展。

一九七八年（昭和五三年）　九十一歳

『Beyond East and West』を刊行。『The Art of Bernard Leach』刊行。

一九七九年（昭和五四年）　九十二歳

五月六日歿。

KODANSHA

本書は、一九五五年、毎日新聞社より刊行された『日本絵日記』、および一九六〇年、フェイバー・アンド・フェイバー社より刊行された『A POTTER IN JAPAN』を底本としました。

バーナード・リーチ（Bernard Laech）
1887年生れ。イギリスの陶藝家。六代尾形乾山に作陶を学び，セント・アイヴスに築窯制作。独自の絵付と作風で世界的評価を得る。著書『陶工の本』『乾山』ほか。1979年没。

柳　宗悦（やなぎ　むねよし）
1889年生れ。宗教哲学者，民藝研究家，日本民藝館設立者，文化功労者。著書『工藝の道』『美の法門』『柳宗悦全集』ほか。1961年没。

水尾比呂志（みずお　ひろし）
1930年生れ。美術史家。武蔵野美術大学名誉教授。著書『デザイナー誕生』ほか。2022年没。

講談社学術文庫

定価はカバーに表示してあります。

バーナード・リーチ日本《にっぽん》絵《え》日記《にっき》

バーナード・リーチ
柳《やなぎ》　宗悦《むねよし》 訳／水尾比呂志《みずおひろし》 補訳

2002年10月10日　第1刷発行
2024年6月24日　第21刷発行

発行者　森田浩章
発行所　株式会社講談社
東京都文京区音羽2-12-21 〒112-8001
電話　編集（03）5395-3512
販売（03）5395-5817
業務（03）5395-3615

装　幀　蟹江征治
印　刷　株式会社ＫＰＳプロダクツ
製　本　株式会社国宝社

Printed in Japan

ISBN4-06-159569-5

「講談社学術文庫」の刊行に当たって

これは、学術をポケットに入れることをモットーとして生まれた文庫である。学術は少年の心を養い、成年の心を満たす。その学術がポケットにはいる形で、万人のものになることは、生涯教育をうたう現代の理想である。

こうした考え方は、学術を巨大な城のように見る世間の常識に反するかもしれない。また、一部の人たちからは、学術の権威をおとすものと非難されるかもしれない。しかし、それはいずれも学術の新しい在り方を解しないものといわざるをえない。

学術は、まず魔術への挑戦から始まった。やがて、いわゆる常識をつぎつぎに改めていった。学術の権威は、幾百年、幾千年にわたる、苦しい戦いの成果である。こうしてきずきあげられた城が、一見して近づきがたいものにうつるのは、そのためである。しかし、学術の権威を、その形の上だけで判断してはならない。その生成のあとをかえりみれば、その根は常に人々の生活の中にあった。学術が大きな力たりうるのはそのためであって、生活をはなれた学術は、どこにもない。

開かれた社会といわれる現代にとって、これはまったく自明である。生活と学術との間に、もし距離があるとすれば、何をおいてもこれを埋めねばならない。もしこの距離が形の上の迷信からきているとすれば、その迷信をうち破らねばならぬ。

学術文庫は、内外の迷信を打破し、学術のために新しい天地をひらく意図をもって生まれた。文庫という小さい形と、学術という壮大な城とが、完全に両立するためには、なおいくらかの時を必要とするであろう。しかし、学術をポケットにした社会が、人間の生活にとってより豊かな社会であることは、たしかである。そうした社会の実現のために、文庫の世界に新しいジャンルを加えることができれば幸いである。

一九七六年六月

野間省一